KB178078

# 기쁨의 순간

**발    행** | 2023년 12월 29일

**저    자** | 김연재외 5인

**펴낸이** | 한건희

**펴낸곳** | 주식회사 부크크

**출판사등록** | 2014.07.15.(제2014-16호)

**주    소** | 서울특별시 금천구 가산디지털1로 119 SK트
윈타워 A동 305호

**전    화** | 1670-8316

**이메일** | info@bookk.co.kr

ISBN | 979-11-410-6303-0

www.bookk.co.kr

희열이라는 뜻을 아는가. 기쁨과 즐거움이 공존하는 단어 중 일부이다. 한 인간이 수많은 화젯거리 속에 즐거움을 얘기한다. 나 또한 그의 잔인하고 극악무도한 희열을 언급하려고 한다. 그는 사람들이 기본적으로 가지고 있는 본성을 무자비하게 어지럽히고 갈기갈기 쪼갠다. 난 이들의 공존성에 대해 의문점을 던져본다. 이들이 정말로 공생하며 살고 있는지 또는 공멸하며 물어뜯고 있는지. 인간의 본성에 끝은 어디일까. 이들이 원하는 목적은 무엇일까에 대한 많은 궁금증을 가지고.

---

## 쾌락과 고통 속에 어딘가

좀비는 마치 뛰어다니는 사이코패스와 같다. 나는 그들을 처음 마주했을 때, 가슴이 두근거리며 심장이 터질 것만 같았다. 하지만 시간이 지나고 인간은 망각과 적응을 동시에 할 수 있는 특징이 있어 그들을 한 매개체에 이입했다. 우리는 그들을 철저하게 감시하고 통제하기 위해 닥치는 대로 자서전과 영화를 보며 구체적인 틀을 잡았다. 일차적으로 방어를 잘했다고 생각한 순간 그들에게 토막 나고 존엄한 인간들이 길바닥에 누워있는 비참한 결말로 끝났다. 이차적으로는 그들을 분석하기 위해 남녀 비율을 맞춰 팀을 나눴다. 총 6팀이 나왔고 정해진 구역으로 가 그들을 조사했다. 조사하는 과정에서도 두려움과 공포심이 주변 곳곳에 도사리고 있었다. 대략 한 달간 그들을 분석한 결과, 지능이 매우 낮다는 것을 알아냈다. 쉽게 말하면 그들은 감정과 욕구에 따라 움직였다. 먼저, 이들은 많은 감정 중에 2가지 감정을 품었다. 화남과 슬픔. 이들을 헤친다면, 화가 나는 표정으로 달려들었고 이들 중 한 명이 다치거나 죽었다면, 한 명 옆으로 붙어 울며 한 명의 슬픔을 나눠 가졌다. 놀라운 감정이다. 우리가 그들을 분석하기 전에는 동물보다 못한 존재로 생각했는데 아니었다. 이들은 충분히 동족을 공감하며 기쁨과 즐거움이 공존하고 있었다. 이게 바로 회열이 아닌가! 어쩌면, 이들도 우리를 보며 또 다른 좀비의 개체로 생각할 수도 있었다. 이들의 감정 변화는 시간이 지날수록 나날이 발전했다. 발전하는 속도는 거의 하늘에서 땅까지 내리는 빗속도와 같았다. 욕구 또한 마찬가지였다. 처음에는 우리가 잘 아는 3대 욕구 중에 이들은 식욕과 성욕만 가졌다. 놀라운 사실이다. 이들을 조사하는 과정에서 수면욕이라는 단어를 사용할 수 없었다. 오로지 2대 욕구만 존재했다. 인간을 마구잡

이로 뜯어 먹고 이들끼리도 나름대로 사랑을 한다는 것을 알게 되었다. 사랑하는 과정에서 그들의 번식능력을 무시할 수 없었다.

얼마 전에 충격적인 사실을 알아냈다. 이들이 특정 단어를 서로에게 공유하고 있었다. 이들만의 방법대로 우리가 알지 못하게 공유하며 마치 우리를 거대한 파도 속으로 집어삼킬 것만 같았다. 이들의 지능은 날이 갈수록 뛰어났고 난 이들의 지능 또한 분석해야 한다고 생각한다. 따라서 지금 우리는 그들을 뛰어다니는 사이코패스와 같다는 명칭을 붙인 이유 중 하나이다.

---

기쁨과 슬픔은 반으로 나눌 수 없다.

얼마 전에 생존자를 만났다. (사실, 생존자라는 명칭보다 친구라는 단어를 쓰고 싶다) 그녀의 몸은 허약과 빈약 중간쯤에 자리 잡고 있었다. 처음에는 그녀가 그들과 같은 존재처럼 행동하고 있어서 의심했다. 그녀가 나중에 나에게 생존방식에서 나온 투쟁이라고 말했다. 그녀가 그들과 같은 행동을 보이면 잠깐 어울려 살 수 있다는 정보를 얻었다. 이들은 냄새에 의존하는 것보다 감정과 욕구 두 가지로만 판단했다. 우리가 조사한 내용과 대부분 일치했고 또 하나 충격적인 사실을 알아냈다. 이들을 조종하고 움직이는 작자가 바로 우리와 같은 존재라는 것이다. 얼마나 놀라는 일인가! 한 인간이 날뛰는 생명체를 조종하고 지배한다는 것은 경이로운 사실이다. 그들은 그를 '아베르'라고 부른다. 아베르의 명칭을 우리가 쓰는 언어로 번역하면 '교주'라고 할 수 있다. 그를 도와주는 또 다른 존재가 있었다. 그 존재도 우리와 같은 종이었다. (수많은 바이러스가 터지면서 우리는 같은 인간이지만, 다른 종으로 부르고 있다) 그들은 그녀의 존재를 '아르탄'이라고 부른다. 이것 또한 해석하면 '기쁨'이다. '아르'라는 단어가 공통점이라 부교주로 예측했지만, 아니었다. (그들은 우리에게 혼동을 주려고 일부러 기쁨이라는 단어를 재창조했다) 우리는 이 사실을 공유했고 믿기 어려웠다. 어떤 이들은 새로운 사실을 알아냈다는 기쁨에 멈춰있었고 또 다른 이들은 슬픔에 갇혀있었다. 잠깐 절망에 빠져있을 동안 생존자는 주위를 살피고 말을 꺼냈다.

"또 다른 생존자가 있어요. 그들은 그곳을 유토피아라고 불러요." 내가 사는 이곳이 무릉도원과 같은 곳이라고 생각했다. 이곳보다 시설은 말할 것도 없이 풍족이라는 단어가 넘쳐흘렀고 '不足(부족)'이라는 명칭은 없어진 지 오래였다. 이들은 우리를 알고 있을까에 대한 궁금증이 생겼다. 궁금증을 해소할까 생각하다가 묵묵히 곁에서 지켜주는 이가 그녀에게 나와 같은 질문을 던졌다. 난 같은 종족이 우리의 존재를 모를 거라고 생각했다. 그저, 숨어지내는 작은 개미에 불과했다. 유토피아에 있는 그들은 작은 개미에 불과한 우리를 알고 있었다. 그곳에 있는 그들은 우리의 존재를 알고 있었고 주시하고 있다는 답변을 받았다. 그녀는 담담했지만 긴장한 표정이 역력했다. 나는 경외한 표정을 버릴 수 없었다. 오히려 간직하며 소망하고 있어야 했다. 짧은 순간에 우리는 모두 석상보다 더 굳고 강하게 멈춰있었고 아무도 어떠한 말을 꺼내지 않았다.

우리는 모두 구원자이다!

그녀의 위험한 발언은 부자연스럽게 깊은 심해로 묻히고 말았다. 아무도 그 이야기를 언급하지 않았고 그에 따른 방안을 세우기 급급했다. 그사이에 많은 변화가 오갔다. 우리를 조금 더 사랑할 수 있게 도와줬고 아껴줬다. 또한, 우리는 그녀의 모든 행동과 말투를 분석했다. 또 하나의 감시 방편이라고 해도 무방 없었다. 얼마 전에, 그녀가 좀비와 얘기하는 것을 봤다. 이것도 다른 하나의 희열을 찾아 몸속으로 파고드는 전율을 느꼈다. 그녀는 그들에게 무언가 지시를 내리고 있었다. 나는 그들의 언어를 분석할 만큼 머리가 똑똑하지 않아 중간 단계에서 그만뒀다. 대충 단어로 추리 정도는 할 수 있었다. 문맥 흐름은 이해할 수 없지만, 단어로 예측은 가능했다. 고심한 끝에 예측한 내용을 문장으로 풀어보면 '우리는 또 하나의 인격체이다. 우리는 그들만큼 존중받아야 한다.' 해석한 내용은 나를 혼란스럽게 만들었다. 그들은 우리와 다른 인격체라 부여했고 우리처럼 그들도 존중받아야 한다는 사실이 나에게는 믿기 힘든 내용이다. 이 사실은 나만 알아야 할 것 같아서 기밀문서에 적어놓았다. 기밀문서는 얼마 남지 않은 막바지를 향해 달려가고 있었다. 노트 안에 내용은 남들에게 말하기 힘든 사실이 적혀있었다. 대부분 또 다른 인격체를 가진 그들 이야기였고 감염된 이들 이야기도 있다. 감염되기 전 이들은 대부분 살려주세요, 구원해 주세요, 구원자님'을 주기적으로 반복하며 말했고 서서히 이들은 다른 인격체로 변해갔다. 믿기 힘들겠지만, 끝으로 가면 갈수록 그들은 우리를 혐오스러운 표정을 드러내며 인간의 본성을 단면적으로 드러냈다. 우리는 그들을 구원하기 위해 구원자들을 소집했지만, 성공할 가능성은 없었다. 몇 년이 지나도록 항체는 나오지 않았다. 과학자들이 공통된 분자를 찾고 수많은 시도를 했지만, 실패에 가까웠고 한 명씩 희망과 소망을 잃어갔다. 희망과 소망을 추가하면 무엇인지 아는가. 바로 성공에 가까워질 수 있는 지름길이다. 지름길은 우리를 성공으로 인도했고 그 길을 걷기만 하면 기쁨을 성취할 수 있었다. 기쁨을 성취한다는 것은 또 다른 발전으로 나아갔다. 바로 우리처럼 말이다.

나날을 블랙홀 안에서 갇혀 사는 이 기분을 아는가. 우리가 만든 이 더럽고 추악한 세상 속에 하루를 견디며 사는 심정을 아는가. 오로지 의지할 것은 많은 색깔과 감정으로 연류된 불밖에 없었다. 불은 우리를 환하고 때로는 끝에 다다를 때, 어둠으로 변했고 그 과정 또한 우리는 이해와 적응으로 바뀌었다. '낮'이라는 개념이 없어진 지 수십 년이 지났다. 개념을 떠올리고 싶어도 머릿속은 온통 '밤'이라는 개념에 사로잡혔고 시간이 지나자 '낮'이라는 명사는 땅속 깊이 사라지고 말았다. 가끔 어린아이들이 나에게 '낮'이라는 개념을 물어본다. 이런 질문은 나를 난감하게 만들었고 어떤 대답을 해야 할지 심오함에 빠졌다. 깊은 생각에 벗어나면 난 이들에게 '낮은 붉은빛이 반사되어 기쁨과 즐거움이 넘쳐나는 세상이야.'라고 말한다. 아이들은 무슨 뜻인지 몰라 다시 한번 물어보면 나는 '잠에서 일어나 하루가 시작하는 알람 소리와 같아'라고 대답했다. 아이들은 아리송한 표정으로 감사 인사를 남기고 밖으로 나갔다. 매일 아침 아이들은 내 곁으로 와 과거에 일어난 잊을 수 없는 현상을 물어본다. 나는 아이들을 위해 몇십 년 전에 있었던 현상을 회상하며 아이들에게 마음에 들 문장을 전해준다. 이것이 나의 또 다른 구원자 역할임이 분명했다.

---

희미한 불빛으로 나아가다 보면 그곳은 무릉도원일 거야.

한 달에 한 번 있는 '좀비 소탕 작전'이라는 전쟁을 치러야 한다. 먼저, 남녀노소 지원을 받은 뒤 건강한 사람들을 선별하여 정해진 구역으로 가 말 그대로 좀비를 소탕하는 작전이다. 말은 쉽지만, 나와 비슷한 개체를 죽인다는 것은 두렵고 나도 마치 그들과 같다는 느낌을 받는다. 우리는 그들처럼 다른 종족을 먹지 않지만, 우리가 동물을 씹어 먹는다는 것은 그들과 일맥상통하기에 반박할 수 없는 말과 같다. 포식자에 두 개체가 존재한다면 한 개체는 반드시 멸망한다. 나는 서로 공존하며 살았으면 좋겠다는 소망이 있지만, 그럴 수 없다는 것을 알기에 나 또한 소탕 작전에 투입했다. 명칭 그대로 우리는 그들과 전쟁한다. 그들이 무방비 상태일 때를 노리고 잔인하게 그들을 씻을 수 없는 치욕으로 보낸다. 이것이 우리의 용서할 수 없는 계획이었다. 언제 끝날지 모르는 악몽의 시작이었다.

"안으로 들어가면 지도가 있을 거예요. 그게 무릉도원으로 갈 수 있는 열쇠가 될지 몰라요." 우리가 가기 전에 그녀는 내게 희미한 목소리로 말했다. 그녀의 말투는 떨림에 가까웠고 얼굴은 두려움으로 가득했다. 그녀에게는 진정한 눈빛이 없었다. 그녀가 한 말을 믿어야 할지 모르겠지만 지도가 있다면 가져와 볼 것이다. 그래야 그들을 조금 더 빨리 분석할 수 있다. 우리는 아직도 그녀를 의심 단계에 머물러 있다.

"우리는 오른쪽으로 갈 테니 너희는 왼쪽으로 가. 그리고 중간에서 만나자." 우리는 암묵적 동의로 서로를 쳐다보며 마지막이 될 것 같은 인사를 나눴다. 작전에 맞춰 정해진 구역으로 이동했다. 가는 길마다 우리는 그들을 잔인하게 죽여야만 했다. 일종의 반격 금지 표지와 비슷했다. 어찌 보면 우리는 그들보다 더 잔인할 수도 있다고 생각했다. 사람을 죽였다는 증표를 표시하기에 인간의 악랄함과 무자비한 모습을 직접적으로 드러냈다. 우리는 그들과 마주했을 때, 그들이 우리를 만났을 때 상상할 수 없는 긴장감이 온몸을 지배했다. 불안감의 통제는 불가능에 가까웠고 독성이 강한 동의나물처럼 격렬한 전쟁의 시작을 알렸다.

시간이 얼마나 흘렀을까. 예측할 수 없는 시간대에 들어서자 그들은 하나둘씩 떠났다. 우리는 그들을 말리지 않았다. 소탕이 왠지 잘 풀리고 있어 주변에는 '두려움'이라는 감정이 몰리고 있었다. 작전대로 각자 가진 역할을 잘 마무리되고 있었고 덕분에 많은 자원과 2차 피해는 없었다. 돌아갈 길만 남았다. 내가 한 전쟁 중에 제일 편안한 전쟁인 것 같다. 마음 한편에는 슬픔과 미안함이 공존 중이었지만 우리를 구하기 위해서는 어쩔 수 없었다. 이제 마지막 일만 남았다. 그녀가 말한 지도를 찾는 일. 이곳만 지나면 있다고 말했다. 상세하고 구체적이었기에 안 가볼 수가 없었다. 얼마쯤 더 갔을까 그녀가 말한 지도가 내 눈앞에 있었다. 짧은 순간에 그녀에게 '믿음'이라는 명사가 환기했고 나를 감싸 안았다. 지도를 잡는 동시에 온몸에 계율이 흘렀고 그 자리에 물 흐르듯 앉아 내 눈을 가렸다.

"나에게로 돌아와…. 줘…." 그녀인지 또는 그인지 구별되지 않는 한 사람이 서 있다. (다시 생각해 보면 그녀인 것 같다) 멀리서 보면 아파 보였고 가까운 곳에서 보면 그리움과 서글픔이 생겼다. 그녀 뒤에 있는 풍경은 그녀와 다르게 이질적인 모습이 드러났다. 어떤 식으로 내 감정을 표출해야 할지 감이 잡히질 않았다. 그녀는 나에게 계속 같은 말만 되풀이하며 나를 지그시 쳐다보고 있었다. 나도 그녀처럼 강렬하게 쳐다보고 싶었지만, 그녀 뒤에 있는 풍경이 나를 끌어당기고 있었다. 나는 급한 성격을 가지고 있어 그녀를 도와주기 위해 가까이 다가 가려고 했지만, 일정 범위 안에만 움직일 수 있었다. 이게 무슨 일인가! 내가 더 멀리 움직일수록 공간은 좁아지고 있었다. 때로는 행동보다 말이 더 큰 힘을 가지고 있는 것을 아는가. 과거에 나는 행동보다 말로 유명한 사람 중의 한 사람이었다. 말로 그들을 위로하고 조언하며 인생의 갈림길 앞에 선택의 희망을 부여하는 한 사람이었다. 이제는 이런 것들도 다 쓸모가 없는 세상으로 바뀌었다. 아무도 다른 사람들의 말을 듣지 않으려고 하며 오로지 자신이 어떻게 살면 오래 살 수 있을까에 대해 생각 늪에 빠져버렸다. 지금의 나도 그렇다. 그녀가 한 말을 우리에게 공유하지 않고 나 혼자만 간직하며 이곳으로 와버린 것이다! 세상의 흐름은 끊임없이 변화한다는 사실을 알고 있지만, 이렇게 극단적 개인주의로 변했는지는 상상조차 하지 않았다. 끝없는 슬픔에 빠진 나는 그녀에게 기억나지 않는 말을 했다. 얼마나 했을까. 그녀는 내가 한 말을 듣고 나를 더 서글프고 아름답게 쳐다봤다. 그녀가 누구길래 나를 계속 아는 눈빛으로 쳐다보고 있을까. 기억나지 않는 무언가가 또 있는 것인가. 지도가 안내해 준 곳은 마치 무릉도원과 같다. 희미한 불빛과 단순한 느낌으로 이곳으로 와 아름다움이 미화된 그녀와 풍경을 보고 있었다. 나는 그녀에게 마지막으로 말하는 순간 좁아지고 있던 틀은 한순간에 없어졌다. 짧은 시간에 그녀는 나에게 달려와 앉고 '보고 싶었어.'라고 속삭였다. 갑작스럽게 나는 눈물을 주체하지 못하고 분위기에 이끌려 '나도.'라고 대답했다. 이 모든 게 꿈만 같다. 그녀가 앉는 동시에 많은 것이 눈앞에 지나갔다.

무릉도원의 일부분을 보여준 것만 같다.

---

찬란한 순간에 검은 나비가 꽃에 앉았다.

흐름 속에 머물러 있던 나는 어느새 돌아가는 차 안에 앉아 지도를 손에 강하게 쥐며 그녀 생각을 떨칠 수 없었다. 유리창 너머에는 나와 다른 종들이 우리를 째려보며 본인이 추구하는 세상으로 하나둘 사라지고 있었다. 그들을 보며 어쩌면 이 넓은 세상에 내가 만난 그녀가 어딘가에 존재할 것만 같았다. 내 본능이고 느낌이 나에게 그렇게 말했다. 그녀를 찾고 싶었지만, 단서는 어디에도 존재하지 않았다. 환상 속 그녀일 수도 있다. 여러 번 만났다는 기분을 떨쳐낼 수도 없고 마치 조금 전에 일어난 현상처럼 회상만 했다. 기지로 돌아가기 약 10분 전, 하루

전에 그녀가 말한 내용이 내 머릿속을 어지럽히고 있었다. 유토피아라는 존재가 있을까. 그곳은 우리를 왜 알고 있을까. 안다면 연락 한 통 보내지 않았을까. 많은 궁금증이 나를 어두운 곳으로 데려가고 있었다. 가면 안 될 것 같은데, 가야지만 수많은 이들을 살릴 수 있었다. 적어도 도움 요청을 할 수 있을지 모른다. 모든 것이 다 추측이고 기대이고 등불 같은 존재이지만 난 적어도 작은 희망에 내 전부를 걸어보려고 한다. 큰 문제는 그녀가 말한 지도만 믿고 오로지 그녀에게 내 모든 신념을 준 것이다. 나는 그녀에게 속아보기로 결심했다. 위험한 결정인 것을 알지만, 매일 아침 밝은 얼굴로 나를 찾아오는 아이들과 햇살과 구름 경계 사이에 있는 이들이 조금이나마 행복과 영광을 가질 수 있다면 난 기꺼이 할 것이다. 다짐이 끝나는 순간에 맞춰 우리는 기지 안으로 무사히 진입했고 다른 이들과 악수와 포옹을 하며 우리들의 소망은 나날이 두터워져만 갔다.

"지도 찾았습니다." 남은 할 일을 내버려 둔 채 무작정 그녀에게 달려갔다. 사실, 그녀에게 가기 전 지도를 펼쳐 봤다. 알 수 없는 용어와 그림, 마지막으로 누군가 사인한 흔적이 보여 많은 궁금증을 자아냈다. 그녀는 첫 말을 꺼내기 전, 항상 웃는 얼굴로 나를 반갑게 맞이했다. 바보 같은 사람. 우리가 그녀를 감독하고 있는 사실을 알면서도 공포와 미움 하나 없이 반가운 얼굴로 인사한다. 인사의 첫 말은 가볍지도 않은 또는 그리 무겁지 않은 무게를 가졌다. 그녀는 내가 준 지도를 받고 어딘가 쳐다봤다. 나 또한 그곳에 무언가 있을 것 같아 다가갔지만, 그저 차갑고 시린 벽이었다. 그다음 말을 이어 갔다. 지도안에 표시된 그림과 글을 해석할 수 있냐고 물어봤다. 그녀는 그림을 보며 고뇌하더니 말했다. '사실 이건 유토피아로 갈 수 있는 지도입니다. 당신은 그걸 찾았어요. 이제 당신의 선택에 달렸습니다. 그곳으로 가면 위협을 당할지 모릅니다." 정해진 답은 하나였다. 가야만 했다. 난 그녀에게 유토피아의 모든 정보를 물어봤고 그녀는 본인이 알고 있는 모든 정보를 나에게 넘겼다. 난 그날 밤 찬란한 마지막 순간을 깜깜한 밤에 내 모든 걸 넘겼다.

급한 볼일이 있다는 거짓말과 함께 그녀와 걸었다. 그녀는 본인이 과거에는 검은 나비라고 지칭했다. 왜 그렇게 생각했냐고 물었다. 그녀의 대답은 뜻밖이어라 걷는 것을 멈춰버렸다. '몇 살인지 생각이 안 날만큼 아주 어릴 때, 언니가 있었는데 언니가 붙여준 별명이었어요.' 그녀는 무척 슬픈 표정을 지었다. 그녀는 아까와 같은 표정으로 언니 얘기했다. 그녀가 한마디씩 말할 때마다 어떠한 말도 할 수 없었다. 나는 과거에 일어난 모든 걸 잊기로 했다. 마음이 동요되는 것을 원치 않아 그녀가 말할 동안 다른 생각을 가졌다. 그곳에 도착하면 어떻게 도움을 요청하고 받을 수 있는지 또는 우리에게 더 나은 삶이 존재하는지. 오묘한 기분이 들었다. 잘 될 것이라는 희망과 실패할 수 있다는 불행이 공존하고 있었다. 누군가가 나에게 성공할 수 있다는 희망찬 밝은 미소를 선사했더라면 이런 기분을 가지고 있지 않을 수 있었다. 말할 수 없었다. 우리에게. 이런 밝은 미소로 화답할 수 있었지만 얘기할 수 없었다. 지극히 개인주의 또는 공리주의라고 생각할 수 있지만 적어도 나에게 만큼은 아니었다. 그들에게 용서받고 구원받았으면 좋겠다.

"그곳으로 가지 마…. 그곳으로 가면 안돼…." 처음에 들었을 때, 일시적인 환상인 줄 알았다. 가끔 배가 고프면 나에게 조언 같은 말을 던져줬다. 이번에는 일시적인 현상이 아닌 지속적인 현상이 거울처럼 지배하고 있었다. 어떻게 해야 할지 몰라 중간에 잠깐 밥을 먹고 가자고 물었고 그녀는 흔쾌히 수락했다. 지배한 내 몸을 위해 먹어도 같은 말만 되풀이하고 있었다. 약을 먹어도 같았다. 악마에 통제당한 기분이다. 악마라는 존재를 잊은 지 오래지만 반복되는 상태로 인해 이 명사를 빌렸다. 신이라는 존재도 사라졌다. 신이 있었다면 밝은 삶을 추구하지, 썩어빠진 인생과 불운으로 가득 찬 내일이 있을 수 없었다. 우리는 서로가 서로에게 구원받는 상태를 좋아하지, 신이 인간에게 구원받고 싶지는 않다. 신이 인간의 정적인 내면을 봤다면 누가 우리를 기쁜 마음으로 구원하는가. 믿을 수 없고 믿기 힘든 사실이다.

그녀가 말했던 유토피아 앞에 도착했다. 그녀가 왜 이곳을 눈부신 이름으로 사용한 줄 알 것 같다. 이제는 나에게 아무런 힘과 능력이 없으니 그녀를 믿고 따라갔다. 여전히 알 수 없는 말과 행동을 취하면서 그들과 얘기하고 있었다. 처음 그들의 표정은 그녀가 내가 처음 만날 날과 같았다. 경계심과 경각심을 주며 우리를 따라오라고 했다. 언제까지 가는지는 명확하게 모르지만, 궁금증에 사로잡혀 그녀에게 '아까 당신이 말한 언어는 무슨 언어입니까?'라고 물어봤다. 그녀는 나에게 이해하기 힘든 말을 했다. '이 언어는 다른 사람들이 알아들을 수 없도록 우리가 창시한 언어입니다. 과거에 우리가 쓰던 언어와 다른 나라의 언어를 혼합하여 만들었습니다. 한 번 배워보시겠습니까?' 왜 다른 이들도 이해할 수 없도록 만들었을까. 그들은 우리와 다르다고 인식하는 걸까. 언어를 재창조했듯이 나라도 재창조한 것인가. 복잡한 생각은 나를 힘들게 만들었고 난 그녀의 답변에 대답할 수 없었다. 우리는 아무런 대화도 하지 않은 채 멀리 보이는 사람들과 풍경에 감탄을 금치 못했다. 안내하는 이들은 나에게 하나씩 소개하며 이것의 이름과 특징을 설명했다. 그들은 자신들이 만든 언어로 인해 과거에 썼던 용어를 힘겹게 말했고 말의 흐름은 신생아 수준보다 못했다. 나는 그들이 조금이라도 상처받을까 봐 이해하는 척 노력했고 그 노력은 그들의 웃음과 기쁨으로 돌려받을 수 있었다. 그들이 설명하는 중에 내 눈에 띈 나무가 있다. 멀리서 봐도 알 것 같았고 가까이에서 봐도 알 것 같은 존재였다. 오랜만에 보는 나무였다. 느티나무. 나는 느티나무를 어렸을 때부터 좋아했다. 좋아하는 이유는 딱히 없는데 좋아해야 할 것 같은 존재를 아는가. 나는 그것을 느티나무에서 느꼈다. 책 읽으러 자주 갔었고 나 혼자 소풍 갈 때도 정해진 도착지가 아닌 이곳으로 와서 먹었다. 내 영원한 친구이자 한 번쯤 다시 만나고 싶은 존재였다. 멀리서 보고 있었던 나는 어느새 느티나무 앞까지 왔다. 아무 말 없이 난 그를 앉았고 그는 좋다는 행동을 취한 것 같다.

그 순간, 내 뒤에 누군가가 있다는 것을

느꼈다. 앞에서 따뜻함과 풍요로움을 느끼고 있지만 뒤에서는 차가움과 빈곤함을 느끼고 있었다. 뒤에서 그들이 나를 불렀고 기쁨에 취한 모습을 보여주고 싶지 않아 아까 있었던 감정을 얻기 위해서 뒤를 천천히 돌아봤다. 난 한 사람과의 눈이 마주쳤는데 본능적으로 느꼈다. 아, 이 사람이 그 사람이구나. 난 아베르를 만났구나. 그는 차갑고도 시린 눈동자를 지녔다. 옆에 있던 그녀는 나에게 온갖 불행과 슬픔을 준 사람이었다. 모든 계획 속에서 이끌려온 나였다. 어쩌면 그들이 나를 보기 위해 만든 허술한 목적이 숨어있을 수 있었다. 우린 허공에 인사를 나누며 그들 앞에서 세상의 마지막 인사를 한 채 나도 모르는 이들의 존재 속에서 행방불명이 되었다.

---

나는 그들이 말하는 내용대로 설명하자면, 하나의 종이었던 인간이 각종 환경오염에

노출되어 종을 나눴다. 그 기준은 정말로 바보 같았다. (내가 정한 것이 아닌 국가가 직접 정했고 국가가 정한 검사를 통해 난 '일반인'이라는 종을 얻었다) 말을 능청스럽게 잘하는 자, 세 끼를 다 먹을 수 있는 자, 청결하고 올바른 자, 마지막으로 모든 면에서 용모가 뛰어난 자를 국가에서는 '일반인'이라 칭했다. 나머지는 '비일반인'이라는 자격을 얻었다. 이들은 '일반인'이라는 자격을 얻기 위해 돈으로 권리를 사거나 최악의 경우는 일반인과 거래하기 시작했다. 아무 의미 없는 자격 하나로 권력을 행사하는 저들이 놀랍지 않은가. 믿을 수 없는 기준을 병명과 기준을 만들고 이들을 각각 다른 세상에 내던지는 것은 일말의 죄책감도 들지 않는 건가. 일반인 세계에 살았을 때, 감정은 치욕스러웠다. 내가 한없이 무너지고 있었고 자아는 도망가 사라졌다. 이때부터 또 다른 병명이 붙어 나를 악화시켰고 신을 직접적으로 만나 구원받아 또 다른 내가 탄생했다.

당신은 알록달록한 색깔을 본 적이 있는가. 난 그 색깔을 볼 수 없었지만 전지전능한 그 분이 있어서 난 볼 수 있다. 의학적인 힘은 다 필요 없다. 난 그 분 덕분에 잊을 수 없는 고통 속에 일어나 나의 희망을 찾아 또 다른 이들에게 구원하고 있다. 이 힘은 나만 가질 수 없었다. 적어도 한 사람에게만 내가 겪은 삶을 이해하고 공감해준다면 많은 이는 참혹한 세상 속에서 구원받을 것이다. 난 이제 신과 동등한 능력과 재능을 지녔다. 이것들은 나만 가질 수 있고 나만 속죄할 수 있는 능력이다. 나만이 가지고 있는 힘을 그들에게 보여줬다. 그들은 나를 저절로 '아베르'라고 불렀고 적극적으로 수용했다. 나는 무척 마음에 들었다. 이들이 이제 내 힘과 뜻을 믿어줬다. 더 많은 사람에게 이 사실을 전하라고 이르렀다. 다른 이들도 나를 숭배해 구원받으라는 의미였다. 나를 믿지 않는 이들도 있다. 이들은 나를 '교주'라는 단어로 취급했고 난 크게 노했다. 그들이 어떤 것을 갖고 내게 그런 험한 말을 하는 것인가. 나는 구원을 통해 또 다른 세계로 나가려는 조력자이다. 그들은 내가 '교주'라는 인식이 생기면 동물보다 못한 취급으로 나를 헤쳤다. 참을 수 없는 고통이 온몸을 통해 전해졌고 난 각오했다. 이들을 벌하기로.

'벌'이라는 것은 생각보다 단순하다. 이들을 깨우치고 각성과 각오를 심으면 된다. 간단하면서도 복잡한 일을 스스로 준비해야 했다. 난 이들을 제대로 가르치기 위해 밤낮 구분 없이 교육 내용과 경험을 바탕으로 만들었다. 먼 훗날, 이것은 이름 없는 자서전으로 올라와 나를 크게 감동하게 했다. 난 그들을 고통 속에서 구원의 손길을 내밀어 줄 때가 말로 이룰 수 없는 행복감으로 지배당했다. 괴로움 안에 있는 비명과 누구도 도와줄 수 없다는 확신이 나를 감아 기쁨의 길로 인도했다. 그 지속은 오래가지 못했다. 지옥에 나온 이들은 구원받기를 원했고 난 그들의 말을 듣지 않고 확신에 가까운 말만 되풀이했다. 그들이 보내는 시간이 지속해서 흘렀으면 좋겠다는 희망도 있지만 진정한 자매가 될 수 있다는 믿음으로 이들을 안정시켰다. 난 이들을 몰래 지켜보며 나만의 절대적인 정보를 키워가고 있었다.

더 많은 이를 모으기 위해 이곳을 '무릉도원'과 같은 곳으로 칭했다. 말처럼 이곳은 무릉도원이 맞았다. 모든 사람은 매일 행복하게 별일 없이 보냈다. 나를 믿기만 한다면 다 가능한 일이었다. 이들은 나를 위해 기도하지 않았고 이들에게 진정한 무릉도원을 보여주며 나의 영광을 그들에게 베풀었다. 처음에는 작은 무릉도원이었지만 지금은 거대한 유토피아로 변했다. 그들은 정해진 시간에 일어나 남들보다 열심히 소비하고 나를 위해 기도하는 이들이다. 참으로 기특하지 않은가! 이들을 위해 난 여러 가지 선물을 준비했다. 어딘가에서 힘들게 사는 이들을 교섭시키면 원하는 것을 들어주겠다는 소원. 말이 끝나기 무섭게 이들은 정해진 목표를 향해 나아가고 있었다. 그중에 제일 눈에 띈 여성은 매일 아침 정해진 시간에 예배를 드리는 시간에 첫 줄에 앉아 종이와 연필을 갖고 내 말을 적극적으로 탐색했던 이였다. 참으로 멋진 여성은 나를 더 만족시켰다. 그녀와 함께 작전을 세웠고 그녀와 밥을 먹으며 감을 잡을 수 없는 많은 계획을 세웠다. 나는 고민 끝에 그녀를 '아르탄'이라 불렀다. 그녀가 원하는 이름이었기에.

그녀와 함께 멋진 날을 기약하기 위해 거대한 축제를 거행했다. 모두 다 같이 웃으며 더할 나위 없는 시간을 나를 위해 보냈다. 축제가 끝나기 전, 그녀는 다급하게 나를 불렀다. 내일 아침에 이 일을 실행할 수 있냐고. 더 정확하게 말하자면, 실행하고 싶은 마음을 가지고 있는 것 같았다. 좋은 날 속에 더 기쁜 날이 찾아올 것이라는 기대에 흔쾌히 수락했다. 그녀는 기쁜 미소를 짓고 내 볼에 잊을 수 없는 하나의 추억을 만들어줬다.

얼마나 흘렀을까. 그녀를 기다리며 날을 지새웠다. 매일 밤 난 끔찍한 상상을 했다. 그녀가 다른 세상에 눈을 떠 오지 않을 거라는 것 같았다. 두렵고 화가 치밀어 올랐다. 내가 바라던 세상이 얼마 남지 않았는데 망쳐버릴 수 있다는 생각을 잠시나마 했었다. 얼마 뒤, 나를 위해 애쓴 나무를 보며 생각에 잠겼다. 그녀가 내 눈앞에 와달라는 생각. 한 5분 동안 눈을 감았을까. 바로 앞에 그녀가 있었다. 옆에는 이상한 옷차림을 하고 서 있는 남자와 함께 서 있었다. 본능적으로 느꼈다. 이제 이 세상은 내 것이라는 것을.

'삐…. 삐'

  여기는 기계 소리만이 들릴 뿐이다.
낯선 소리, 긴장과 어쩌면 살아가기만
을 기도하는 소리 없는 아우성만이 존
재한다. 그리고 연구원들의 의미는 모
르겠지만 느낌으로 날카로운 말들이
들려온다. 내 팔에는 주사 구멍이 여
러 개 있다. 혼자 방에서 거울을 보며
주사 구멍들을 매만질 때면 씁쓸한 맛
이 올라온다. 더 이상 참을 수 없는
쓴맛에 거울에 거칠게 침을 뱉었다.

그래도 어쩌겠는가. 나는 이곳에서 할수 있는 게 없다. 새하얀 방 허공에 소리를 질렀다. 메아리가 친다. 다시내 귀에 꽂혀 울린다. 작게 한숨을 내뱉고는 침대에 털썩 주저앉았다.

"아…. 씨"

답답한 마음이 가득했다. 천장에 붙어 있는 스피커에서 노이즈가 울리며 귀를 시끄럽게 헤집어 놓았다. 또 저녁 6시인가보다. 이곳 방을 포함한 모든 곳에 시계가 없다. 그 이유를 생각해 보니 이곳은 시간대별로 규칙적으로 행동하는 것 같다.

"여러분 오후 6시입니다. 저녁이 제공될 테니 배식실로 오시길 바랍니다."

하루 중 4번의 안내 방송이 나온다.

오전 6시 기상 시간, 정오 12시 점심 시간, 오후 시 6시 저녁 시간, 오후 10시 취침 시간. 그 외에 시간은 들어 볼 수 없다. 방송이 나오자마자 일제히 문을 열고 닫는 소리가 들린다. 나도 힘겹게 문을 열고 배식실로 향했다.

"932번 확인."

"109번 확인."

이제 내 차례이다. 팔에 새겨져 있는 바코드를 내밀자, 보안원은 바코드를 찍었다. "521번 확인."

내 번호가 확인되자마자 걷은 소매를 내려 바코드를 가렸다. 누구를 탓할까. 이곳에 들어온 내 잘못이 크다. 늘 그렇듯 생기 없는 사람들이 모여있다.

처음에 다들 신나 하던 얼굴들이 이제는 제빛을 잃어갔다. 오늘의 메뉴는 버섯 밥과 김치, 소시지 전이다. 반찬들의 간은 짜고 차가웠다. 나는 소시지 전을 몇 입 베어 물다 신경질적으로 음식물 쓰레기 통에 식판째 처박았다. 큰 소리가 나도 아무도 신경 쓰지 않는다. 방문 옆에 달린 인식기에 바코드를 들이대니 '삑' 소리와 함께 문이 열렸다. 새하얀 이불을 덮고 생각해본다. 생기있는 사람을 만나고 싶다. 내 전부를 주어도 괜찮을 것 같은 사람을.

"521번 들어가세요."

큰 캡슐 기계처럼 생긴 곳 안으로 들어갔다. 연구원이 옆 조그마한 구멍을 열더니 주사가 내 팔을 찌른다. 적응이 되지 않은 따끔함에 눈을 질끈 감앗다. 곧이어 문이 열리더니 연구원은 아무 말도 하지 않고 종이에 무언가를 쓱쓱 적고만 있다. 익숙하게 기계 밖으로 나와 다시 방으로 돌아왔다. 지루함에 밖으로 나와 정원으로 가는 비상계단을 오르고 있었다. 그 옆 관계자만 들어갈 수 있는 방 안에서 언성이 높은 말들이 오고 갔다.

"이제 성공했다고..! 최대한 많이 투여해."

"하지만 개인마다 다를 거고, 10ml가 최대예요."

"그게 중요해? 어차피 쥐새끼들 많이 있는데."

'쥐새끼?' 누구일지 생각했다. 아무리 생각해봐도 실험체들을 말하는 거겠지. '쥐새끼'들에 나도 포함되어 있다고 생각하니 허탈한 마음이 든다. 나는 못 들은 척하고 정원으로 올라왔다. 많은 사람이 신선한 공기를 만끽하고 있었다. 어제 힘겹게 모은 스토(가상화폐 단위)로 담배를 하나 샀다. 주머니에 꼭꼭 숨겨 놓았던 담배를 가지고 구석으로 가서 입에 물고 불을 붙이려 하는 순간 누군가 내 입에 물려있는 담배를 뺏었다.

"얼굴도 예쁘신데 담배 피우면 빨리 늙어요."

실실 예쁜 입꼬리로 웃으며 능청스럽게 나에게 말했다. 나는 한순간에 담배를 뺏겨 짜증이 올라왔다. 나는 정색한 얼굴로 낮은 목소리를 냈다.

"그쪽이 무슨 상관입니까."

불법으로 들인 것도 아니고 나이가 되지 않은 것도 아니다. 엄연히 성인으로써 담배를 살 수 있는 나이이다. 그 남자는 나에게 뺏은 담배를 입에 물고 불을 붙였다. 그 남자는 입에서 뿌연 연기를 조심스럽게 내뱉으며 다시 예쁘게 웃었다. 이런 미친 사람 곁에 있으면 안 된다는 판단에 정원에서 내려와 방으로 와서 침대에 누웠다. 우리 실험체들은 건강을 위해 음주와 흡연은 한 달에 한 번. 1개의 술과 담배를 거래할 수 있는데, 나는 내 전부인 담배 하나를 뺏긴 셈이다.

"아니. 생각해 보니까 담배 도둑이네."

쯧. 혀를 차며 체력단련실로 들어갔다. 스트레칭하고 있었는데 누군가 내 어깨를 톡톡 쳤다. 아까 그 남자이다. 뭐가 그리 좋은지 입가에는 미소가 끊이질 않는다. 나는 아까 일에 대한 분노가 이어지고 있어 그 남자를 의식하지 않았다. 그 남자는 머쓱해하지도 않고 내 옆에 자리를 잡고 스트레칭을 시작했다. 쳐다보지 않은 척 그 남자를 지켜보았다.

"운동하러 오셨나 봐요."

"아. 네."

더욱더 냉정하게 굴었다. 말 한마디도 섞고 싶지 않았다. 그 남자는 계속 내 주변을 떠돌았다. 처음에는 이런 상황이 신경 쓰였지만, 나중에는 운동에 집중해서 그런지 의식이 되지 않았다. 샤워실에서 씻고 휴게실을 지나치고 있는데 내 뒤에서 남자 목소리가 들린다. 내 등 뒤에 쓰여 있는 번호를 불렀다. 그런 목소리에 뒤를 돌아보았다. 내가 그 자리에 멈추자, 그 남자는 반가운 표정으로 나에게 뛰어왔다. 내 어깨를 가볍게 붙잡으며 정원으로 이끌었다. 시원한 공기에 불편한 마음도 들지 않았다. 하지만 그 남자의 얼굴을 보지 않았다. 얼굴을 보는 순간 분노가 폭발할 것 같기 때문이다.

"여기 왜 왔어요?"

"저요? 그냥요."

이젠 기가 찬다. 혼자 오면 될 것을 굳이 나랑 온 이유를 모르겠다. 나는 작은 한숨을 내뱉었다. 사실 나도 알고 있다. 이런 적막하고 살벌한 곳에서 아무런 걱정 없이 웃고 있는 사람을 볼 수 없다는 것을. 사람들이 어떻게 웃었는지도, 웃는 법도 잊어버릴 상황이니까. 이 사람을 만난 지 하루도 되지 않았는데 나는 벌써 이 사람의 세계로 들어온 것 같다. 그래. 이런 곳에 경쟁자를 만들면 무슨 의미가 있을까. 이 분위기를 빌려 나는 이 사람에게 말했다.

"우리보고 쥐새끼래요."

"그것참 웃기네요."

"무언가를 발견했는지 약을 많이 투여하라고도 했어요."

사실 이 사람도 이미 알고 있지 않을까? 다른 사람들은 스토에 미쳐 모으고 있을 때 이 사람은 주변을 살펴본 것은 아닐까? 나도 똑같은 사람인 것같이 스토를 모아 담배 하나에 내 모든 것을 버리려고 했다. 그 쾌락 하나에 내 모든 것을. 그 남자가 내 생각을 읽었는지 조용히 토닥여 주었다. 그 손길에 깨달았다. 난 무엇을 하고 싶었는지. 이제야 분명해졌다. 이 사람이라면 내가 원하는 것을 이룰 수 있다고 생각했다. 여기는 미쳐버린 곳이니까.

"전 여기에서 나가고 싶어요. 돈은 중요하지 않아요."

모두 여기에 올 때 큰 보수를 준다는 대가로 실험체가 되었다. 면역항체를 발견하기 위해서. 하지만 실상은 다들 주사 한 방에 죽어 나갔다. 처음에 다들 사람이 죽는 것에 대해 반발심이 들었지만, 나중에는 그 사람이 죽든지 말든지 자신이 살아서 나가는 것만이 중요해졌다. 이런 곳에 나는 더 이상 있고 싶지 않다. 그 남자도 나의 말에 동의하는 듯 고개를 끄덕거렸다. 나와 뜻이 맞는 사람이 있다는 건, 참 좋은 일이다.

"전 하성빈입니다."

망설여진다. 나의 번호가 아닌 내 진짜 이름을 말해도 되는가. 성별과 성격만 알아볼 수 있는 이곳에서 나는 나의 큰 일부를 말해도 되는지. 하지만 무엇이 문제가 있을까. 나는 오랫동안 마음속에 묵혀왔던 세 글자를 뱉을 준비를 했다. 심장이 쿵쾅거린다. 그의 용기가 나의 마음을 건든 것이다.

"고지영에요. 521번.."

웃어본 게 얼마 만인지 너무나도 행복했다. 여태까지 힘들었던 모든 것들이

씻겨나가는 느낌이었다. 앞으로 성빈 씨와 함께할 날들은 나를 좋은 곳으로 이끌어 줄 것만 같았다. 성빈 씨는 손가락을 꼼지락거리다 결심한 말투로 나에게 말했다.

"제가 나가는 거 도와드릴게요. 아까 담뱃값으로."

쓸쓸한 맛이 맴돌았던 나의 입은 더 이상 아무런 맛도 나지 않았다. 이제 신경질적으로 거울에 침을 뱉을 일이 없어지겠다고 생각했다. 나의 예측이 벌써 맞는 것 같다. 이 사람은 분명 나를 좋은 곳으로 데려가는 것을.

———————————————————

"오전 6시입니다. 기상하시고 배식실로 가주시길 바랍니다."

어젯밤과 다르게 또 삭막한 곳으로 가

려니까 속이 울렁거린다. 하지만 이곳은 의무적으로 밥을 먹어야 하므로 피곤한 몸을 이끌고 배식실로 갔다. 어제와 별반 다른 게 없다. 밥과 시래깃국, 김치와 파전 한 장. 파전을 젓가락으로 반으로 찢어 한 입 먹어보니 엄청난 기름 맛과 차가움이 내 혀를 감쌌다. 목구멍에 밥을 억지로 삼키곤 실험실로 향했다. 어제와 똑같이 작은 구멍이 열리고 주삿바늘이 내 팔을 찌른다. 오늘은 평소와 다르게 공개 홀에서 집합하라는 안내 방송이 나왔다. 다들 처음으로 새로운 안내 방송에 웅성거려 소란스러웠다. 공개 홀로 가보니 연구원 여러 명이 근엄한 자세로 일렬로 섰다. 다들 더 무거운 분위기에 아무런 말을 할 수 없었다.

"245번, 986번, 751번, 521번, 743번은 한 달 뒤 저녁 9시에 검사실에 와

주시길 바랍니다."

내 번호가 호명되자 불안이 스멀스멀 올라왔다. 그때 누군가 내 손을 잡았다. 성빈 씨였다. 자신의 등 번호를 보여주며 웃었다. 986번. 나와 같이 호명되었던 번호였다. 신기하게도 조금 전까지 불안하고 걱정이 많았지만, 성빈 씨와 같이 할 수 있음에 긴장이 풀렸다. 여기에서 나가겠다고 말을 뱉었지만, 계획은 없었다. 검사실에서 무슨 일이 일어날지는 아무도 모른다. 내 짐작으로는 저번에 약을 많이 투여하라던 그 말을 실제로 시행할 것으로 생각했다. 자칫 잘못하면 나는 나가보지도 못하고 죽을 위기에 처한 것이다.

"많이 걱정돼요?"

겉으로는 아무것도 모르는 표정을 짓고 있었다. 그런데 이 남자는 내가 걱정되는지 어떻게 알았을까? 자기도 같은 입장이라서? 그러기엔 걱정을 하고 있지 않은 것 같다. 나는 조심스럽게 말을 꺼냈다.

"어떻게 알았어요? 성빈 씨도 걱정 많이 돼요?"

"아뇨. 전 오히려 좋아요. 지영씨 얼굴은 평온해 보이지만 눈동자는 걱정에 가득 차 보여서요."

그렇구나. 이 사람은 이런 사람이구나. 나는 누군가의 눈동자를 살펴본 적이 없는데, 이 사람은 상대방의 작은 것까지 살펴본다. 오늘은 말을 많이 섞지 않았다. 조금 아쉬운 느낌이 온종일 들었다. 운동할 때도, 세수할 때도.

내일은 성빈 씨와 말을 많이 나눠야겠다고 생각하며 불편한 잠자리에 들었다.

아침이다. 여느 때와 다름없이. 쳇바퀴를 돌 듯 모든 게 제자리다. 이제는 익숙해서 겨우 뜬 실눈을 의지한 채 배식을 받았다. 잘 안 넘어가지만, 힘을 내기 위해 오랫동안 밥을 씹었다. 그때 내 앞자리에 식판을 두는 소리에 깜짝 놀라 동그랗게 눈을 떴다.

"좋은 아침이네요."

봐도 질리지 않은 미소를 한가득 머금은 입. 선한 눈매 성빈 씨였다. 아침이라 그런지 할 말을 찾는 것이 더 힘들었다. 정신을 빼놓고 밥을 먹을 뿐이다.

"아. 성빈 씨 실례가 안 된다면 나이를 알 수 있을까요?"

"저요? 전 25살이에요. 지영씨는요?"

"저는 28살이요."

이런 상황에서 쓸 일이 없는 말들을 주고받았다. 이런 얻을 게 별로 없는 말을 한 것이 얼마 만일까.

 강렬한 행복도 결국엔 '잠깐'이다. 행복한 기억을 많이 떠올릴 때는 2가지라고 생각한다. 첫 번째는 정말 슬프거나 힘들 때. 두 번째는 추억할 때. 내가 여태까지 얻었던 행복을 생각하게 된다. 지금이 너무나도 힘들기 때문에. 우리 아빠는 내 팔이 세상에서 제일 예쁘다고 했는데, 지금의 내 팔은 구멍이 송송 뚫려있는 스펀지 같았다.
아빠 생각에 눈물이 핑 돌았다.

"진짜로 무릉도원이 있을까요?"

"그럼요."

"그렇죠? 여기만 아니면 다 무릉도원일 것 같아요."

우린 서로 웃음을 지었다. 여긴 너무나도 힘들고 삭막한 곳이니까 자유로운 것이 간절했다.
 모두가 잠든 이 밤. 나는 여기로 나갈 궁리를 했다. 여기서 나갈 방법은 두 가지. 목숨이 위태로울 만큼 몸 상태가 되는 것, 좀비와 같은 종족이 되는 것. 하지만 두 가지 다 리스크가 크다. 첫 번째를 도전할 땐 정말로 목숨을 걸어야 해야 한다. 두 번째는 면역항체를 개발 중인 이곳에서 불가능에 가깝다고 봐야 한다. 그럼 안전하면서 리스크가 크지 않은 방법이 또 있다. 바로 '최종 면역항체 발표회' 최종으로 면역항체를 가지고 있는 사람을 데리고 최종 면역항체 발표회에서 소개하는 자리이다. 대부분 돈이 많은 부유층이나 지위가 큰 사람들에게 우선권으로 어떤 사람의 면역항체를 가져갈 것인지 소개한다. 똑같은 약물을 투여해도 사람마다 고유의 특이점이 있기 때문에 가장 특출하다고 생각되는 사람들을 선정하게 되는데, 나와 성빈 씨가 선정이 된 것이다. 나는 배식실에서 몰래 가지고 온 휴지 몇 장과 연구원이 한눈을 팔았을 때 가지고 온 볼펜을 꺼내 휴지에다가 열심히 나갈 계획을 적었다.

"정말 재미있구나."

이런 일이 일어날 것이라고는 예상했지만 진짜로 한다는 사람은 그녀가 처음이다. 정말로 감사합니다. 저를 당신의 믿음에 속하게 해주셔서 이 아침과 밤, 하루가 다 당신의 것인 줄 알았습니다. 다 같이 손을 모아 기도했을 때 울리는 전율. 온몸이 간지러워서 미칠 것 같았습니다. 하지만 저에게도 하루가 주어지는군요. 아침 햇살이 저를 보듬어주시고 고요한 밤은 저를 안심시켜주시오니 저는 몸 둘 바가 없습니다. 그녀도 당신과 함께하고 싶음이 틀림없습니다. 지금도 두 손에 물집이 잡힐 정도로 빌었습니다. 아― 이 맑은 공기. 공기마저 감사하게 여기겠습니다.

'절실한' 믿음은 때로 사람을 안정시

켜주고 올바른 길로 인도하기도 한다. 그들의 믿음은 때가 없다. 얼마나 깨끗하고 맑은가! 성대한 파티에 비싼 술과 음식, 여자와 남자들도 필요 없다. 그들의 기도만으로 이 큰 파티는 무엇보다 배부르리라. 하지만 누군가는 그런 의도를 더럽게 만든다. 깨끗한 흰 천에 작은 점을 찍었을 뿐인데 그렇게 하얗던 천은 검은색으로 물들어가고 있었다. '지나친' 믿음은 사람을 불안하게 만들고 잘못된 길로 인도한다는 것을 꼭 기억해야만 한다. 누군가를 믿는 것도 좋지만, 가장 확실하고 올바른 '나 자신.'을 믿는 것이 절실한 상황에서 도움이 된다. 그렇다. 나는 나 자신을 믿기로 했다. 더 이상의 불안은 없다. 나의 계획은 무엇보다도 완벽하니까.

"성빈 씨!"

나는 해맑은 웃음으로 성빈 씨에게 뛰어갔다. 성빈 씨도 웃으며 나를 맞이해 주었다. 벅차고 기쁜 마음이 내 턱밑까지 올라왔다. 나는 주머니에 꼬깃꼬깃해진 휴지 조각을 성빈 씨에게 건네주었다. 휴지를 반듯하게 펼쳐 본 성빈 씨는 작은 웃음을 뱉었다. 오늘 아침은 다른 때보다 활기차다. 화창한 아침을 맞는 것이 너무 오랜만이라 설레는 느낌이 가득했다. 간질거리는 느낌. 내 계획을 다 살펴본 성빈 씨는 휴지 조각을 자신의 주머니에 넣으며 내 어깨에 팔을 걸치고 속삭였다.
"너무 좋은 계획이에요."

"그렇죠? 제가 생각해도 너무 완벽한 계획이에요."

선정된 사람들이 검사실로 모이는 날

까지 절대로 티를 내지 않았다. 평소와 똑같은 표정을 하고 똑같은 일상을 보냈다. 하지만 성빈 씨를 만날 때만큼은 밝게 웃고 걱정을 덜었다. 가벼운 마음에 긴장이 없어진 지 오래다. 암울하지 않으니 힘들게 스토를 모아 기호식품을 사는 일이 줄었다. 그래도 티가 날까 봐 열심히 스토를 모으기 시작했다. 기존의 스토와 새로운 스토를 합해 담배 한 개비를 구입했다. 그리고 내 방 서랍 깊숙한 곳에 잘 넣었다. 최종 면역항체 발표회에 가기 위해 열심히 운동도 했다. 벌써 2주째 나만의 규칙대로 운동했더니 전과 다르게 몸이 건강해진 게 느껴졌다. 이대로 라면 최종 면역항체 발표회에 손쉽게 선정될 거라 믿었다.

마지막인가. 아니면 그 더 앞이 존재할까. 난 아무 쪽이든 좋다. 마지막이라면 내가 이 나라에 보탬이 된 걸 세상에 알려지겠지. 그 더 앞이면 난 그 당시를 살아낸 영웅 같은 존재가 된다. 어디 쪽이든 난 최고가 된다. 한숨은 굳이. 걱정도 하지 않았다. 오히려 비극이 희망이 되는 순간이 너무나도 짜릿하다. 여길 나가면 나도 무릉도원에 가야겠다고 생각했다. 무릉도원이라 내가 상상하는 것 모든 게 존재할까? 모든 것이 없어도 좋다. 일단, 이거지 같은 곳을 나가자. 난 혼자가 아니다. 내 옆에는 든든한 사람도 있으니까 그 어떤 것도 두렵지 않다. 아니, 오히려 더 힘들다 해도 나는 기꺼이 받아들일 준비가 되었다. 그 전에 작은 숨을 쉬었다. 이곳의 공기를 느끼려고 말이다. 연구원들은 하나같이 분주하다. 누구에게 더 약물을 투여하느니 마느니 말들이 오갔다. 이제 우리는 안중에도 없나 보다. 서슴없이 뱉어버리는 말 들에 우리는 저항 없이 묵묵히 듣고 있을 뿐이다. 여기서 저항하면 경호원들에게 잡혀가는 것이 끝이다. 그런 끝이라면 나도 사양이다. 끝이 나더라도 강렬하고 한 방으로 끝이 나고 싶다. 꾹 참고 여전히 차갑고 날카로운 금속이 내 살을 파고들고 제할 일을 한다. 낯선 느낌에 움찔할 뻔했지만, 눈을 찡그리는 것으로 참았다. 내 몸에 약물이 얼마나 투여 했을까? 약물이 내 혈관을 타고 퍼지는 것이 느껴졌다. 천천히 눈을 감았다. 난 이제 어떤 끝을 맺을지 궁금했다. 시시한 건 싫지만 운명이라면 받아들일 수밖에. 놀랍게도 아무런 일도 일어나지 않았다. 나는 성빈 씨를 보고 웃었다. 우리 둘은 아마도 계획에 첫 번째 체크리스트를 달성한 것이 기뻐서였다. 바로 살아남기. 우리 둘은 그렇게 살아남았다. 이제 두 번째는 최종 면역항체 발표회에 가기. 두근거리는 마음으로 결과를 기다렸다. 밥도 잘 넘어가지 않았다. 이게 현실이였으면 해서 얼굴을 씻고 또 씻었다.

---

'쿵. 쿵'
새벽 시간 때쯤인가. 누군가 내 문을 열고 들어왔다. 방에는 불이 켜지는 바람에 나는 제대로 눈을 뜰 수도 없었다. 억지로 눈을 떠보니 연구원 3명이 내 앞에 있었다. 연구원들은 차트를 체크했다.

"521번 기상. 옷 갈아입도록."

그들은 나에게 잘 접혀있는 옷을 건네주었다. 잠을 자는 것을 방해한 것에 살짝 짜증이 나는 행동으로 옷을 받고 화장실에서 옷을 갈아입었다. 가슴팍에는 문구 하나가 적혀있었다. '최종 면역항체 발표회' 거울에 옷을 살펴보는데 똑같이 등 뒤에는 521번 번호가 프린팅되어 있었다. '드디어 가는구나.' 멀게만 느껴지던 발표회가 당장 오늘이라고 생각하니 더 긴장되기 시작했다. 화장실 밖으로 나가니 연구원들은 밖으로 나갔다. 나는 그 틈을 타 깊은 서랍 속에 숨겨 놓았던 담배 한 개비를 챙겨 연구원과 큰 까만 벤에 탔다. 새벽인지라 차 안은 더욱 추웠다. 떨리는 몸을 참으며 목적지까지 이동했다.

"도착. 내려."

크고 강압적이 목소리를 내며 우리를 더 긴장시키게 했다. 하지만 나는 전혀 긴장하지 않았다. 오늘이 저 사람들을 보는 마지막 날이니까. 나는 차에 내리면서 속으로 코웃음을 쳤다. 구석으로 한참 들어갔다. 엘리베이터 옆 카드기에 연구원이 목에 걸고 있는 카드를 가져다 대자 엘리베이터가 열렸다. 지하로 내려가자 깜깜한 회의실로 들어갔다. 그곳에서 성빈 씨와 나는 나란하게 서게 되었다. 큰 프레젠테이션 화면을 띄운 채로 연구원들은 앞에 앉아있는 사람들에게 우리를 설명하기 시작했다.

"521번. 약물 투입 후 바이러스에 대한 면역이 가장 좋았습니다."

"오. 부작용은 없나?"

"아, 있습니다. 일시적으로 숨이 차는 것을 느끼는 것입니다."

아마도 담배의 영향일까? 라고 머릿속

에서 생각했다. 사람들은 나를 보며 흥미로운 표정들을 짓는다. 나는 그런 모습들을 보며 눈살을 찌푸릴뻔했지만, 속으로는 이곳에서 도망치는 상상을 하며 가라앉혔다. 또는 무릉도원에 생각들로 마음에 안정이 들었다.

"지영씨 걱정하지마세요."

"네? 그게 무슨 말이에요?"

성빈 씨는 고개를 돌리지 않고 작은 입 모양으로 속삭이며 나에게 말했다. 싱긋 웃으며 나를 바라보았다. 나는 이 사람의 속마음을 알 수가 없다. 더 좋은 계획이라도 있는 것인지 생각했다.

"제가 말했죠? 도와드리겠다고."

여전히 속삭이지만 조금 더 확신의 목소리로 나에게 전했다. 그 목소리에 나는 알 수 없는 자신감이 생겼다. 맞아 이 사람이라면. 여기 분위기는 점점 과열되었다. 일제히 나를 얻으려는 목소리들이 난무했다. 다들 돈 가방을 꺼내며 누가 더 재산이 많은지 자랑까지 해댔다. 연구원들은 그들을 말리긴커녕 이 상황을 그냥 지켜만 보고 있었다. 이런 모습에 나는 이기적으로 행동하고 싶었다. 다수를 위한 선택을 하고 싶지 않았다. 나는 내가 더 소중하다. 나는 담배를 꺼내 들어 보란 듯이 연기를 뿜었다. 그러자 사람들은 돈 자랑을 멈추었다. 난 이제 상품에 가치가 없어졌으니까. 담배가 바닥으로 떨어지자. 제빛을 잃었다. 내 무릉도원은 아무래도 죽어서 갈 것 같다. 모든 걸 받아들일 준비가 되었다. 이 사람들은 나를 어떤 식으로 고문을 할 것인지 궁금해졌다. 그 순간 성빈 씨는 내 손을 잡고 달리기 시작했다. 나는 영문도 모른 채 그의 속도를 따라갔다. 저 뒤에서 큰 소리가 들린다.

"그럼 다른 애라도 줘!"

"그래 난 얘로 줘."

"뭐야? 그럼 난 얘."

소리만 들어도 그곳은 난장판이 되었다. 어떡해서라도 면역항체를 얻으려는 더러운 모습. 이 현실이 너무나도 무섭다. 하지만 난 지금 행복하다.

---

"조금만 더요!"

"네 저 뛸 수 있어요."

작은 쪽문으로 나가니 시원한 새벽공기와 은색 벤이 우리를 기다리고 있었다. 누군가가 차 문을 열고 우리를 맞이해 주었다. 우리가 타자마자 차는 무서운 속도로 달렸다. 몇 분을 뛰었을까? 숨을 고르느냐 정신이 없었다. 정신이 들자, 내 손엔 생수병이 들려 있었다.

"감사합니다."

"별말씀을요. 저희 성빈 씨를 잘 챙겨줘서 오히려 고마운걸요."

"지영씨. 아르탄 님이셔."

그녀의 웃음에 나는 가족을 만난 것 같은 느낌이 들었다. 우리는 움직이는 차 안에서 다양한 이야기를 나누었다. 그중에 내가 궁금하던 '무릉도원'에 대한 이야기가 인상적이었다. 내가 생각하는 무릉도원과 정확하다. 사람들은 자신들의 주어진 시간을 자신만의 스타일대로 소비한다는 것이다. 그곳에 가면 나는 이제 더 이상 실험체가 아닌 '고지영'으로 살아가게 된다.

"아르탄 님. 전 간절히 빌었어요."

"좋아요. 성빈 씨 간절함이 이렇게 현실로 바뀌었네요."

내가 정말 무릉도원에 가도 되는지 의심했다. 하지만 내가 의심할 때마다 아르탄님은 나를 안정시켜주었다. 정말로 감사하다. 이런 행운이 나에게 일어나고 있다는 것을 이 행운이 온전히 나의 것에 나를 들뜨게 했다. 하지만 지금 무엇보다도 큰 행운을 얻고 싶다. '가족' 내 가족을 찾고 싶다. 나의 간절함은 그냥 허공의 외침으로 끝나지 않았다. 성빈 씨가 안내해준 집은 안락했다. 나는 짐도 풀지 않고 책상에 앉았다. 집으로 오기 전 구매한 일기장에 내가 겪었던 모든 것을 적어 냈다. 일기장 표지에는 크게 세글자를 적었다. '고지영' 내 이야기이다. 나의 모든 것이다. 이제야 속이 후련했다. 내 일기장은 어두운 곳으로 넣어놨다. 그리고 밝아오는 해를 보며 밖으로 나왔다. 나의 소중한 것을 찾으러. 거리에는 높게 솟은 건물들 그 속에서 빛나는 사람들. 이런 곳이라면 난 못할 게 없다. 거리에 종이를 붙였다.

'가족을 찾습니다.'

그동안 나는 하지 못했던 것을 했다. 내 방 한쪽에 커다란 시계를 놓았다. 똑딱똑딱하며 분주하게 움직이는 시침을 보니 기분이 이상했다. 1초 움직일 때마다 내 세상은 비로소 움직였다. 따뜻한 음식도 만들어 먹었다. 미지근한 온도에도 내 입안은 뜨거워서 어쩔 줄을 몰라 했다. 그리고 빵을 만들어 성빈 씨에게 주었다.

"감사해요."

"저야말로 감사해요. 저를 찾아주셔서."
이날을 영원히 기억하리라. 내가 살아남은 방법, 나를 찾을 수 있던 방법.

몇 달 뒤, 나는 가족들을 찾을 수 있었다. 우리는 다 같이 끌어안으며 뜨거운 눈물을 나누었다. 큰돈을 얻고 올 거라며 큰소리치던 나는 미안한 마음이 들었다. 하지만 가족 중 나에게서 돈 얘기는 꺼내지 않았다. '무사해서 다행이다.', '잘 지냈냐?' 따뜻한 말들로 나를 반겼다. 이곳은 돈이 중요하지 않으니까, 돈이 중요하더라도 가족은 큰돈을 가지고 오지 않은 나에게 똑같이 말했을 것이다. 내 소중한 것을 되찾은 느낌은 말로 설명할 수가 없다. 그저 나는 내 마음에 전율을 흘려보낼 뿐.

성빈 씨를 통해 아직도 실험실에 관해 물어봤다. 내가 도망을 쳐도 그곳은 똑같이 흘러갔다. 나는 세상은 쉽게 바뀔 수 없다는 씁쓸함이 몰려왔다. 하지만 이제는 입에서 쓴맛이 올라와도 뱉지 않는다. 오히려 삼켰다. 그런 씁쓸함으로 나는 오늘을 살아간다. 내 입 안에 달콤한 맛이 흘러넘칠 때까지. 실험체를 하는 대신 내가 하고 싶었던 자원봉사를 하게 되었다. 사람들을 도와가며 하루하루 보람찬 느낌을 받는다. 가끔 아르탄님이 나를 찾아와 근황을 묻거나, 사소한 이야기를 나누곤 했다. 내가 꿈꾸던 곳. 실험은 많이 하고 있지만, 아직 면역항체가 세상에 나오지 않는다. 나는 하루의 끝에 뉴스를 보며 소식을 기다렸다. 이럴 때면 내가 그런 선택을 한 것이 후회될 때가 있다. 너무 이기적인 내가 싫어지는 밤이다. 그럴 때마다 성빈 씨는 선택되어 돈 자랑하는 사람들에게 이용만 당하는 그런 꼴이 되었을 거라는 얘기를 듣는다. 달콤한 말에 나는 또 녹아든다. 세상에 도움이 되지 않는다면 나는 도망친 것이 비겁하지 않다고 나에게 말했다. 때론 도망치는 것이 세상을 구하는 또 다른 방법이라는 것으로 생각했다. 딱 그때만 나는 도망치는 것을 세상이 허락해 주었나 보다. 아직도 이 세상은 혼란스럽다. 다른 종의 존재는 편이 갈라져 각자의 편을 지키지만, 또 언제 터

질지 모르는 폭탄 같은 존재이기도 하다. 그래도 어쩌겠는가. 서로 소통이 필요할 것 같다고 생각해 나는 아르탄 님에게 그들의 언어를 배우고 있다. 그들의 언어는 무척 어렵고 힘들다. 내가 이해하려면 그들의 문화와 사는 방식 등등 모든 것을 이해해야 한다. 절대로 강제로 배우려는 자세는 예의가 아니다. 그들이 우리를 해치더라도.

---

"우리가 실험체였던 사실을 누가 알아선 안 돼."
"나도 동감해. 우린 그냥 우리를 지키자."
나는 성빈이에게 말했다. 우리는 실험체였던 것을 알리지 말자고. 우리가 실험체였고, 면역항체에 최종까지 올라간 사실은 더욱더. 진실은 모르는 게 약인 사실도 있다.

우린 서로 각자 우리를 지키며 삶을 살아간다. 실험실에서 느꼈던 경험은 우리를 충분히 성장시켜주게 만들었다. 처음부터 무릉도원에 있었다면 어떻게 되었을까? 나는

상상을 하곤 한다.

"오늘도 힘내자."

# 비

쏴아아

비가 세차게 내리고 있다.

이런 날씨는 사람이 움직이기도 벅찼지만 망해버린 세상에서 살아남기 위해서는 식량 같은 생필품은 필수였기 때문에 좀비가 돌아다닌다고 하더라도 위험을 감수해서 모아야 했다.

좀비는 사람을 어떻게 찾아낼까? 보통 오감에 의존해서 쫓는다. 청각의 경우에는 인간보다 조금 뛰어난 편에 불과 했지만 후각은 개체보다 차이는 있겠지만 사람보다 몇 배는 뛰어났다. 후각의 반경 내에 새로운 무언가가 있다면 코부터 반응할 정도였다. 특히 잘 반응하는 냄새는 피 냄새였다. 잘 반응하는 정도가 어느 정도였냐면 평소에 그어어 하고 있다가 피 냄새만 맡으면 발작하면서 그쪽으로 뛰어갔다. 그래서 상처가 생긴 날은 그냥 안전한 곳에 가만히 있어야 했다. 시각은 안경을 써야 하는 사람 정도인 것 같았다. 어두운 공간에서 냄새만 방호복 같은 걸로 잘 숨기고 소리를 내지 않은 상태로 엄폐물 뒤에 숨으면 들킬 가능성은 낮아졌다. 남은 오감 중에서 촉각과 미각은 잘 모르겠다.

촉각은... 좀비에게 잡히면 물려서 감염될 확률이 높은데 누가 그걸 알아보려 하겠는가? 또 미각의 경우에도... 솔직히 무언가를 쫓을 때 미각을 활용할 수 있을까? 나도 좀비 한 마리 잡아 감금해놓고 하나하나 실험해 본 것이 아니라 확실한 건 아니다.

아무튼, 오늘 같은 날씨는 좀비를 피하기에 꽤 좋다고 단정 지을 수 있었다.

세찬 빗소리는 좀비의 청각을 어지럽게 해 내 소리를 잘 듣지 못하게 도와주고 비 냄새는 사람의 냄새를 덮어 좀비가 후각으로 감지할 수 있는 범위를 줄여줬다.

좀비로 가득한 오늘날에 좀비와 마주할 가능성을 줄여주는 기회를 놓치면 언제 식량을 모을 수 있겠는가?

"나는 상관없긴 하지만... 그래도 오늘 같은 날이 한결 편하긴 하지..."

좀비만 신경 써도 된다면 다행이었다.

세상 어디에서나 상상도 못한 일들이 벌어질 수 있는 만큼 좀비의 경우도 예외는 아니었다.

얼마 전부터 돌연변이?라고 표현할 수 있는 특이한 개체들이 출몰하기 시작했다.

일반 좀비는 인간보다 힘이 전체적으로 강하지만 회복력은 떨어져서 상처를 입으면 회복하지 못했다. 게다가 다른 신체 부위는 다 망가지거나 잘려나가도 머리를 그러니까 뇌에 피해를 입히지 않는 이상 죽지 않는 끈질긴 생존력을 보여줬다.

내가 돌연변이라고 표현한 개체들은 달랐다.

일반 좀비보다 더욱 기괴하게 못생긴 것은 기본이고 일반 좀비의 2배에 갈하는 힘과 속도를 낼 수 있었다. 가장 거슬리는 것은 유일하게 단점이라고 할 수 있었던 회복력에 대한 문제가 없어졌다. 충분한 에너지만 있으면 자잘한 생체기는 물론 인간이면 과다 출혈로 죽을 치명상, 신체가 절단되어도 그 절단된 부위를 다시 붙일 수 있었고 절단된 신체 부위가 없어진다고 하더라도 시간만 있으면 서서히 재생되었다. 끔찍한 건 이게 기본 능력이라는 것이었다. 돌연변이라는 이름이 잘 어울리게 그것들 중에는 팔이 늘어난다거나 몸집이 2배 가까이 커지는 등의 주로 신체와 연관된 특징 등을 가지고 있었다.

"호랑이도 제 말 하면 온다더니..."

돌연변이 개체들에 대해 생각해서 일까? 거리는 조금 멀지만 일반 좀비의 2배의 몸집을 가진 좀비가 무언가를 뜯어먹고 있었다.

'사람... 아니 좀비인가?'

좀비들의 식욕의 주목적이 감염으로 동족의 수를 늘리는 것에 가깝다면 돌연변이들의 주목적은 에너지를 얻기 위함이었다. 에너지만 얻을 수 있다면 사람이든 좀비든 상관없는 것 같았다.

그어얽

좀비의 행위가 잠시 멈췄다.

"날 알아챈 것 같네."

내 냄새를 맡았는지 코를 킁킁거리기 시작했다.

일반 개체들보다 월등한 신체 스펙 덕분일까 돌연변이 개체들은 감각 또한 월등히 민감했다.

비는 들킬 가능성을 낮춰줄 뿐 무조건 피할 수 있다는 보증수표는 아니었기에 일반 개체들은 몰라도 돌연변이 개체들을 피할 수 없었다. 그럼 좀비에 맞서 싸운다는 선택지를 골라보자.

방망이나 빠루 같은 최소한의 무장을 한 사람의 기준에서는 어떨까? 일반 좀비를 상대로는 도구를 잘 활용하면 생각보다 손쉽게 죽일 수 있을 것이다. 하지만 돌연변이들은? 이미 신체 스펙에서 압도적으로 밀리는데 근접이 의미가 있을까? 그래, 운 좋게 머리를 부술 수 있으면 살 것이다. 하지만 그 가능성이 얼마나 될까? 난 희박하다고 본다. 맞서 싸우는 것이 의미가 없어졌기에 남은 방법은 도망뿐일 텐데... 과연 그게 가능할까? 이번에는 가정을 바꿔보자 만약 네가 경찰서나 죽은 군인에게서 얻은 총으로 무장한 상태에서 돌연변이를 마주했다. 그 총을 정확히 좀비의 머리를 조준해 맞출 수 있을까? 네가 숙련된 사수라면 침착하게 총을 쏴 죽일 수 있을 것이다. 과연 죽인다고 그게 끝일까? 총을 쏘면 필연적으로 남기는 게 두 개 정도 있다고 생각한다.

화약 냄새와 총 소리

너는 이 두 가지를 숨길 수 없다. 화약 냄새는 그렇다고 해도 총소리? 소음기라도 끼면 되지 않냐? 바보 같은 소리 하지 마라. 네가 이 망한 것처럼 보이는 세계에서 소음기를 구할 수 있을까? 그것도 멀쩡한 소음기를? 아마도 불가능할 거다. 눈앞의 위기에서 벗어나고자 총을 쏴도 조금의 시간만 벌 수 있을 뿐이다.

그럼 어떻게 해야 살아남을 수 있냐고? 하늘이 무너져도 솟아날 구멍은 있다고 하지 않는가? 그 솟아날 구멍을 필사적으로 찾으면 된다. 살고 싶다는 의지보다 다른 무언가를 하고픈 의지가 더 크다면 넌 그 구멍을 찾을 수 있을 것이다. 이게 무슨 말 같지도 않은 소리냐고? 글쎄 솔직히 나도 잘 모르겠다. 내가 겪은 일이긴 하지만 추상적이라서 나도 잘 설명을 못하겠다. 이 좀비 사태도 현실적이지 않지만 내가 지금 보여주는 장면도 충분히 현실적이지 않을 것이기 때문에.

그어어어어어

돌연변이가 괴성을 지르며 나를 향해 달려들었다.
보통 사람이라면 겁에 질려 덜덜 떨었을 테지만 난 이미 솟아날 구멍을 찾았다. 그 구멍 덕분에 이런 상황은 내게 문제가 아니었다. 오늘같이 비가 내리는 날이면 더더욱

쏴아...

비가 멈췄다. 비가 그쳤다는 말이 아니다. 말 그대로 내 주변의 빗방울이 제자리에

서 멈췄다. 멈춘 빗방울들이 한곳에 모여들기 시작했다.

"크게 상관없긴 하지만..."

한곳에 모여든 빗방울은 큰 덩어리가 되었고 곧 사탕만 한 크기의 물방울이 되었다.. 좀비는 내게 일직선상으로 달려오고 있었고 나는 손가락으로 총 쏘는 시늉을 했다.

"항상 오늘 같은 날씨였으면 좋겠네."

물방울은 총알처럼 빠른 속도로 좀비의 머리를 향해 날아갔고 그대로 머리를 관통했다.

쿵

달려오던 좀비는 머리가 관통된 후 얼마 못 가서 쓰러졌다. 허무하게 쓰러져서 덩칫값을 못했다고 여겨질 수 있지만 좀비인 이상 머리를 꿰뚫리면 죽을 수밖에 없다.(웬만한 생물들은 머리가 약점이긴 하지만...) 또 이 능력을 얻은 이후 능력을 키우기 위해 많은 노력 기울였다. 물론 이 과정에서 허튼짓들도 동반되었다. 그 과정에서 죽인 좀비들 중에는 저것보다 죽이기 까다로웠던 것들도 있었던 만큼 쉽게 안 죽었으면 이쪽이 분했을 것 같았다.

"이건 아무래도 좋은데 대체 어디 있을까...? 흔적을 봐서 여기 근처는 맞는 것 같은데..."

'그날' 이후 나는 한 가지 목적을 정했다. 그 목적은 다른 이들처럼 언제 좀비에게 습격당할지 모르는 채 식량을 모으면서 하루하루를 아슬아슬하게 연명하며 살게 하지 않고 나아갈 수 있는 다른 길을 제시해줬다. 나는 '그날' 이후 이 길의 끝을 볼 수 있길 바라게 되었다.

## 그날(1)

좀비 사태로 인해 나라가 망했다. 정정하겠다. 나라까지는 몰라도 이 지역 부근은 확실히 망했다. 사람들도 많이 대피했는지 이 지역에 남아있는 사람의 수는 그렇게 많은 것 같지는 않았다. 그래서일까? 좀비의 수 또한 많지 않았다. 그냥 간혹가다 보이는 정도에 불과했다.
생필품을 모으기에는 다른 곳보다 수월했다. 사람들이 급히 대피해서일까? 마트에 남아있는 생필품들은 예상보다 충분한 것 같았다.

"강우야, 뭐 생각하고 있냐?"

이쪽은 내 형인 이신우이다. 부모님은 좀비 사태 전에 돌아가셨기에 내게 남은 가

족은 형 하나뿐이었다. 뭐... 사이는 좋다
고 할 수 있었다.

"그냥... 멍이나 때리고 있었어."

형제끼리 사이좋은 건 말도 안 된다고?
뭐... 보통 형제, 자매, 남매끼리는 사이
안 좋다고 하는 경우가 많긴 할 거다. 내
경우에는 형이랑 나이 차이가 많이 나서
인지 형이 날 많이 돌봐줬고 전체적으로
성격도 좋았다. 나도 형의 영향 때문인지
성격도 비슷해서 큰 마찰은 없었다.

"그럼, 여기 와서 저것 좀 한번 봐."

형이 망원경으로 뭔가를 찾은 것 같았다.
뭔지 몰랐지만 호기심에 형 쪽으로 갔고
망원경을 받아 형이 가리키고 있는 것을
찾았다.

"뭔데?... 저게 뭐야?!"

순간적으로 내 눈을 믿지 못했다. 형이 보고 있던 것은 성인 남자보다 크고 팔 길이는 몸통만 하고 두께는 허벅지만한 기괴한 생김새의 좀비였다. 좀비들은 신체 부위가 하나둘씩 없더라도 기본적으로 사람의 형태를 띠고 있었다. 그럼 저건 뭐일까? 좀비가 맞긴 한 건가? 그냥 만화 속에 나오는 것처럼 어떤 미치광이 과학자의 실험체가 탈출했다는 말이 더 신빙성이 있을 것이다.

"얼마 전부터 좀비보다 못생긴 놈들이 하나둘 돌아다녔는데 몇몇 놈들은 방사능 맞은 녹색 인간처럼 생겼더라... 하하..."

형의 웃음은 웃겨서, 재밌어서가 아니었다. 어이가 없어서, 저딴 게 어떻게, 왜 존재하지라는 것에서 파생된 공포에 질린 웃음이었다. 형의 심정도 이해가 갔다. 그냥 좀비들도 사람들에게 공포를 주는 존재였는데 그럼 형이 봤다던 그것들은 공포 그 자체일까?

"심지어 저것들 사람을 산 채로 뜯어먹더라... 꼭 사람이 아니더라도 좀비를..."

형은 패닉에 빠진 것 같았다. 부모님이 돌아가셨을 때도 울고 있던 날 위로해 주고 내 앞에서는 절대 울지 않았던 마치 지지대와도 같은 형이었기에 이런 모습은 한 번도 본 적이 없었다. 나도 그 광경을 봤다면 형과 비슷하거나 더 심했을 것이다. 심지어 식량은 하루치 정도밖에 남지 않았기 때문에 반드시 나가야 한다는 선택지만이 존재했다

"형... 혹시 저것들 어느 방향에서 왔는지 봤어?"

어느 쪽에서 왔는지만 알면 그곳만 피해서 거점 자체를 다른 지역으로 옮기면 그것들을 마주치지 않을 가능성이 있다고 생각했다.
"봤어... 하지만 다른 지역으로 간다고 해

도 우린 그 지역의 상황을 몰라... 그리고
저것들을 피해서 갈 수 있을까?"

"하..."

한숨이 절로 나왔다. 형 말이 맞았다. 우
린 이 지역에만 있었기에 다른 지역의 상
황은 몰랐다. 좀비가 바글바글할 수 있었
고 우리가 지금 피하고자 하는 존재들이
더 많을 수도 있었다. 순전히 운에 맡긴
도박이었다. 그것도 판돈이 돈이 아니라
사람의 목숨인. 형은 나도 알고 있어야 한
다고 생각했는지 내게 그것들이 어느 방
향에서 왔는지 또 어떤 것들이 있었는지
대충 말해줬다.

"형, 그럼 오늘은 쉬고 내일 식량 모으러
가자. 지금 형 상태를 보면 오늘은 못 갈
것 같아."

형의 말을 들어보니 생각보다 상황은 심
각했다. 내가 지금 드는 생각은 그것들을

상대로 도망칠 수 있을까였다. 만약 그것들이 더 많아진다면 돌아다니기는 점점 더 힘들어질 것이다. 그것들의 정체가 무엇이든 식량부터 가능한 한 많이 모아두는 것이 이전보다 훨씬 중요해졌다.

"그래... 형이 미안해..."

"아니야... 형이 뭐가 미안해... 오늘은 푹 쉬어..."

내일을 기점으로 앞으로의 미래가 결정될지도 모른다. 긍정적으로든 부정적으로든 어떻게든 결정이 날 것이다.

그날(2)

아침이 되었다.

움직이기 편한 복장으로 갈아입고 가방을 챙겼다. 그리고 불의의 상황을 대비하기 위해 밀대의 봉만 남기고 끝에 청테이프로 식칼을 감아 임시 창을 만들었다.

"호신용 정도는 되겠지..."

창은 초보자가 쓰기에 쉬운 무기였고 무엇보다 다른 무기에 비해 긴 사거리를 가지고 있어 좀비를 상대하기에 한결 수월했다.

"강우야, 준비 다 됐지?"

형은 나보나 먼저 준비를 끝내고 기다리고 있었다.

"어, 다했어. 근데 형은 정말로 괜찮은 거

맞지?"

어제의 형의 모습이 떠올라서 걱정되었다.

"그래, 괜찮아."

평소와 같은 형의 목소리에 안심했다. 조금 불안하긴 하지만... 그래, 괜찮을 거다. 마음을 다잡고 문밖을 나섰다
날씨는 조금 우중충해서 곧 비가 올 것 같았고 평소에 길가에서 하나 둘씩은 보이던 좀비였지만 지금은 한 마리도 찾아볼 수 없었다. 너무 조용한 상황이 불안감을 자아냈다. 그래서 잡담을 조금 하기로 했다. 주제는... 계속 그것들이라고 부르기에는 헷갈릴 수 있으니 명칭을 정하는 것이었다.

"못생긴 놈들?"

"그냥 좀비도 못생겼는데?"

"그럼 짝퉁 헐..."

"기각"

농담 따먹기식으로 대화는 이어졌고 나오기 전에 느꼈던 불안감은 점점 해소되는 것 같았다.

"그럼 그냥 돌연변이라고 하는 거 어때?"

 일반 좀비와는 다른 생김새, 월등한 신체능력, 다양한 특징들을 보면 돌연변이라는 말이 잘 어울릴 것 같았다. 돌연변이의 형태도 하나로 정해져 있다고 할 수 있는 것이 아니니 특이한 개체들을 통틀어서 돌연변이라고 칭해도 무방하다고 생각한다. 형도 내 말에 동의했다.
마침 좀 멀리 떨어진 곳에서 돌연변이 개체가 시체 몇 구를 어깨에 걸치고 이 지역을 벗어나고 있었다. 시체를 가져가는 이유를 모르더라도 이건 희소식이었다.

"도착..."

"강우야, 빨리 들어갔다 와라."

좀비가 보이지 않아서 위험한 일은 없었다. 돌연변이들도 보이지 않았기에 어제 걱정했던 것들이 조금 허무하다고 느꼈다. 뭔가 꺼림칙하긴 하지만 안전하게 도착할 수 있었다. 생필품을 모을 때 주로 형이 어딘가에 숨어서 망을 보는 동안에 내가 생필품을 가방에 담는 방식이었다. 좀비가 언제 어디서 올지 모르기 때문에 망을 보는 건 필수였으니

'이제 이곳도 식량이 슬슬 동나는 것 같네... 다음부터는 좀 더 먼 곳으로 가야 하나?'

이곳에 생존자가 우리밖에 없는 것이 아니었기에 어쩔 수 없었다.

'이제 다 챙겼으니... 그럼 갈...'

쾅

밖에서 무언가가 크게 부딪치는 소리가 났다. 저렇게 큰소리가 났으면 형은 내게 무슨 일인지 알려주려고 했을 것이다. 또 좀비 때문에 일부러 저런 큰소리도 내지 않을 것이다.

"형...?"

간담이 서늘해졌다. 밖에는 분명 형밖에 없을 것이었다. 아니... 없어야 했다. 무의식적으로 마트 밖으로 뛰어나갔다.

으적으적

웬만한 농구 선수들보다 덩치가 큰 돌연변이가 형을 씹어 먹고 있었다. 머릿속이 하얘졌다. 저 광경을 보고 무슨 생각을 할 수 있을까? 아니 못할 것이다. 여태까지 조용했던 것은 이 일이 일어날 징조였을까? 상황을 보면 너무 순조로웠긴 하다. 아무튼 지금은 정신을 차려야만 했다. 이성적으로 판단했을 때 형의 상태는 이미 가망이 없었기에 형을 먹고 있는 동안에 도망쳐야 했다. 이성은 분명히 그랬다. 하지만 감정적으로는 아니었다. 세상 어느 누가 가족이 죽어가는데 이성적으로 생각할 수 있겠는가. 내 몸은 이성보단 감정에 따라 움직이기 시작했고 들고 있던 창을 돌연변이의 머리를 향해 던졌다.

그어어!

돌연변이의 눈을 맞혔다. 죽지 않는 것을 보니 뇌까지 닿지는 않았던 모양이다.

"망할 좀비 새끼가..."

돌연변이는 창을 던진 나에게 주먹을 휘둘렀고 나는 그 주먹을 맞고 그대로 날아가 벽에 부딪혔다.

"컥..."

덩칫값은 하는 모양이었다. 저렇게 힘이 센 걸 보면...

'죽더라도 저건 죽이고 가야 하는데...'

여기서 죽어도 상관없었다. 내가 죽더라도 가족의 복수는 하고 가야 하지 않겠는가? 하지만 충격 때문인지 몸은 내 뜻대로 움직여지지 않았다. 그 와중에 돌연변이는 형을 먹는 것을 끝내고 내게 다가오기 시작했다.

'제발 좀 움직여라... 제발...'

내가 던진 창은 아직 좀비의 눈에 박혀 있었고 좀 더 깊숙이 박아 넣으면 죽일 수 있을 것 같았다.

'죽일 거야... 죽여야 해...'

죽인다. 죽인다. 죽인다. 죽인다. 죽인다.
죽인다. 죽인다. 죽인다. 죽인다. 죽인다.
죽인다. 죽인다. 죽인다. 죽인다. 죽인다.
죽인다. 죽인다. 죽인다. 죽인다. 죽인다.
죽인다. 죽인다. 죽인다. 죽인다. 죽인다.
죽인다. 죽인다. 죽인다. 죽인다. 죽인다.
죽인다. 죽인다. 죽인다. 죽인다. 죽인다.
죽인다. 죽인다. 죽인다. 죽인다. 죽인다.
죽인다. 죽인다. 죽인다. 죽인다. 죽인다.
죽인다. 죽인다. 죽인다. 죽인다.

'죽여버릴 거야...'

살겠다는 의지보다 눈앞의 원수를 죽이고
싶은 살의가 훨씬 더 커졌다. 원한을 갚고
자 하는 간절함, 그 간절함이 하늘에 닿은
것일까?

똑... 똑.. 쏴아아

비가 내리기 시작했다. 비는 점점 더 세차
게 내렸고 마치 하늘에 구멍이 뚫린 것

같았다.

이후 몸이 빠른 속도로 회복하기 시작했고 몸에 힘이 들어갔다. 가장 중요한 건 새로운 감각이었다. 어떤 감각이냐면... 이 물을 마음대로 움직일 수 있을 것 같았다. 무의식적으로 손짓을 하자 내리던 비는 마치 파도와 같은 형태를 이루었고 그대로 그 돌연변이를 휩쓸었다. 돌연변이는 파도에 휩쓸리면서 눈에 박혀있던 창이 더 깊게 들어가면서 결국 죽어버렸다.

"하아... 하아..."

딱 한 번에 불과했는데 머리는 지끈거리고 몸에 힘이 잘 들어가지 않았다. 갑작스러운 이능의 발현 때문인가? 처음 다루는 것치고 능숙하게 다루기는 했다. 사람도 자신의 신체 부위를 모두 컨트롤하고 있다고 보기도 힘든데 하물며 새로 생긴 것은 그것을 다루기 위해 더욱 난이도가 요구될 것이다. 그럼 일종의 조건반사를 통해 무의식 속에서 끌어낸 잠재력일까? 아무래도 상관없었다.

"다 죽여버릴 거야..."

하나 남은 혈육이 끔찍하게 죽었다. 하나의 개체를 죽인다고 이 원한이 해소될까? 아니 이 원한은 관련된 모든 것들을 지워버릴 때까지 없어지지 않을 것이다. 망한 세계에서 내 목표는 오직 살아남는 거였다. 하지만 오늘을 기점으로 목표는 완전히 달라졌다. 내가 살아남는 것은 상관없어졌다. 그냥 죽기 직전까지 저것들을 죽일 것이다. 최대한 많이... 가능하면 전부 없어질 때까지

## 개미

그날로부터 시간이 꽤 지났다. 나는 우선이 능력을 키우기 위해 일어난 변화들을

체크했다. 가장 먼저 체크했던 건 신체였다. 이전 몸보다 힘이나 속도가 대략 2배가까이 늘어났고 몸도 단단해졌다. 또한 회복력은 가벼운 생채기 정도는 손쉽게 회복했다. 조금 깊은 상처도 시간과 열량만 있으면 어떻게든 회복했다. 아, 고통은 줄여주지 않았다. 덕분에 자해하는 게 어떤 느낌인지 생생하게 느낄 수 있었다. 가장 크다고 할 수 있는 변화는 내 몸에 무형의 에너지의 존재였다. 이 에너지는 쓴 에너지만큼 물을 다루게 해주는 것은 물론 신체 스펙이나 회복력을 강화해 줬고 에너지를 쏟아부을수록 강화의 정도는 더욱 커졌다. 하지만 물을 다루는 것에 비해 연비는 좋지 않았다. 특히 회복력의 연비는 극악이었다. 초능력의 주체가 된 만큼 이 에너지를 늘려야만 했다. 이 과정에서 특히 무협지가 생각나 호흡을 통해 에너지를 쌓아보려고 했다. 결과는... 소설은 소설에 불과하더라... 그래도 결국 늘릴 수 있는 방법은 찾았다. 한창 연구해 보다가 에너지만 전부 소모한 채 방법을 찾지 못해 조금 체념했다. 아... 내가 쓸모없는 일을 하고 있구나... 그래도 밥은 먹어야 했기에 나중에 생각하기로 했다. 밥을 먹으면서 느낄 수 있었다. 에너지를 담고 있던 그릇이 조금 커졌고 에너지도 다시 생겼다. 조금 어이없었지만... 그래도 찾아낸 게 어딘가? 생각해 보면 돌연변이들도 감염에 초점을 둔 식욕보다 먹어치우기 위한 식욕에 초점을 뒀다. 아마도 그것들 또한 에너지를 채우기 위한 본능적인 행동이었을 것이다. 변화를 모두 확인했으니 능력을 다루는 숙련도만 높이면 됐다.

처음에는 물을 움직이는 것부터 시작했다. 작은 크기에서부터 시작해 점점 크기를 키우기도 하고 여러 개를 다뤄보기도 했다. 막상 쉬운 일만은 아니었다. 크기와 개수에 비례해서 두통은 심했지만 익숙해질수록 두통도 완화되었다.

그다음으로 연습한 것은 물을 압축하는 것이었다. 워터젯 절단기라고 들어 봤는가? 고압의 물을 이용해 단단한 것들을 잘라내는 절단기다. 이 워터젯으로 다이아

몬드도 잘라낼 수 있을 정도였다. 그러니 최대한 물을 압축한 다음에 쏘고자 하는 방향의 압력을 약하게 하면 세상에서 가장 강한 물총이 될 것이다.

실전 훈련은... 일단 주변에 일반 좀비나 돌연변이를 상대로 테스트하면서 부족한 부분을 하나하나 보완해나가는 방식이었다.

그렇게 몇 달 정도 훈련하니 물 한 병만 있으면 어느 좀비라도 손쉽게 잡아낼 수 있었다.

하지만 요즘에는 모두 다 부질없다는 생각이 든다.

이 지역의 돌연변이는 모두 다른 곳에서 온 개체들이다. 어디서 돌연변이가 생기기라도 하는 건가? 일반 좀비가 갑작스레 돌연변이가 되는 경우는 본 적이 없다. 그럼 초능력자가 돌연변이로 된 건가? 그건 아닐 것이다. 내가 죽인 돌연변이의 수는 100에 가까웠다. 그것도 한 방향에서 건너오는 것들이었다. 그곳에 초능력자들이 그렇게 많다고? 웃기지 마라, 그곳은 이미

안전지대였겠지. 남은 건 유일하게 특이하다고 할 수 있는 시체 몇 구를 짊어지고 다시 왔던 방향으로 돌아가는 개체였다.

'왜 시체를 들고 돌아가는 거지?'

다른 개체들은 사냥한 것들을 그 자리에서 먹어치웠다. 하지만 그 개체도 어디까지나 돌연변이에 속해있다. 그저 본능에 따라 움직이는 존재였기에 스스로의 의지가 있다고 보기는 힘들었다.

"후... 모르겠다... "

아무리 생각해 봐도 감이 잡히지 않아 한숨이 절로 나왔다. 막히는 상황에서 계속 생각해 봤자 의미가 없다. 조금 다른 생각하면서 쉬는 것도 나쁘지 않았다. 조금 멍 때려도 되고...

'개미 지나간다... 어릴 때는 개미 가지고 많이 장난쳤었는데...'

어릴 때 한 번쯤은 개미굴 구멍을 한 번 막아보거나 먹이 옮기는 거 보겠다고 음식물을 떨어뜨려 보는 등의 장난을 해본 적이 있을 것이다.

"어릴 때는 개미가 들고 가는 거 한 번 보겠다고 초콜릿 같은 거 많이 떨... 어...?"

그 개체가 개미라고 가정했을 때 그 개체가 하는 행동은 먹이를 굴로 옮기는 것이었다. 먹이가 왜 필요할까? 분명 굴에 먹이를 필요로 하는 것들이 있을 것이다. 만약 여왕개미와 같은 존재가 있다면? 그 여왕개미가 낳는 건 돌연변이 개체들일 것이다. 돌연변이 개체를 양산하는 것이 능력이든 뭐든 간에 계속해서 돌연변이를 양산한다면 그 여왕개미 개체 또한 돌연변이인 이상 에너지를 끊임없이 소모할 것이다.
그럼 이게 무엇을 의미하는가? 그 시체를 옮기던 개체를 쫓아가면 그 여왕개미 개체가 있는 곳을 알 수 있는 것 아닌가?

"얼마 전에 나갔으니 빨리 따라가야겠네, 하하!"

　기분이 들뜨기 시작했다. 그것만 죽이면 그 역겨운 것들이 더 이상 생기지 않을 것이다. 물론 남아있는 것들도 소탕하긴 해야 하지만 가장 근본적인 문제를 해결할 수 있었다. 비유하자면 네가 바퀴벌레 때문에 골머리를 앓고 있었는데 그것들의 소굴을 완전히 박멸할 수 있다면 그 기회를 놓칠 건가? 아니 놓치지 않을 것이다. 완전히 박멸한 그 순간! 너는 마치 앓던 이가 빠지는 것처럼 속이 시원할 것이다. 내가 지금 그런 기분이었다. 너무 기대되었다. 여태까지 죽여왔던 것이 의미 없는 반복 노동에 불과했다면 지금 이건 로또 1등 당첨금 받기 직전이었다.
이제 내 목적 이룰 수 있는 순간이 얼마 남지 않았다. 기다려라, 망할 것들아. 무슨 수를 써서라도 너희를 완벽히 박멸해

줄 테니.


## 복수


쏴아아

중간에 착각해서 잘못 가긴 했지만 이번에는 맞는다고 단정 지을 수 있었다. 왜냐고? 시체 옮기던 돌연변이들이 저 건물로 들어가고 크기가 3m 가까이 되어 보이는 거구의 돌연변이들이 건물 주위를 경계하듯이 돌아다니고 있었다. 이 정도면 저 건물 안에 중요한 무언가가 있다는 것은 확실했다.

'나도 준비는 다 끝났어...'

날씨도 나에게 유리하고 물병도 5개 정도 챙겨서 왔다. 오늘 여기서 일어나는 일들은 죽은 우리 형을 위로해 줄 진혼제가 될 것이다.

내가 오늘 할 건 싸움이 아닌 학살에 가까울 것이다.

건물의 경계를 서던 돌연변이들 위로 물방울이 뭉쳐졌고 그대로 빠르게 떨어졌다. 그 물방울 정수리부터 몸 전체를 관통했다. 주변 다른 돌연변이들이나 좀비들도 똑같이 당했다. 이제 아무 방해 없이 건물 내부로 들어갈 수 있었다.

입구에 발을 들인 순간 큰 가시가 나를 향해 날아왔다.

첨벙

다행히 반사적으로 물방울의 크기를 키워서 그 가시를 막을 수 있었다. 가시를 날린 쪽을 바라보니 온몸이 가시로 뒤덮인 돌연변이가 있었다.

"그래... 적어도 정예 정도는 있었다는 거네..."

나에게 날려진 가시는 부서지지 않고 원형을 유지하고 있었다. 가시의 경도가 상당히 높다는 거다. 즉, 여태까지 죽인 놈들처럼 쉽게는 못 죽인다는 의미였다.
나는 물방울 2개로 톱날을 만들어 날렸다. 가시 돌연변이는 가시를 빠른 속도로 늘려 날린 톱을 쉽게 없앴다.

'역시 씨알도 안 먹히나...'

가시 돌연변이가 어느 정도인지 확인하기 위해 날린 거였지만 예상대로 쉽게 막혔다.

그어어!

9개의 가시의 길이가 늘어나 나를 빠른 속도로 나를 찌르려 했다. 앞에 아예 물로 벽을 세워 아슬아슬하게 찔리지 않을 수 있었다. 조금 안심하는 사이 뒤에서 벽을 뚫고 가시가 날아왔다.

"큭…"

치명상은 피할 수 있었지만 그 가시를 온전히 피할 수는 없었기에 팔에 맞아버렸다.

그어어!!!

벽에 박힌 가시가 벽을 뚫기 위해 회전하기 시작했다. 계속 회전할수록 벽을 유지하는 것이 힘들어졌다.

'미친… 그래도 준비는 끝났다.'

여태까지 행동은 견제와 방어가 주목적이었다. 몸을 둘러싸고 있는 저 가시를 뚫고 죽이기 위해서는 평소보다 훨씬 더 많은 물을 압축한 물방울이 필요했다. 많은 물을 압축해야 하기 때문에 그만큼 시간도 걸렸다.

'이거 한 방이면 된다...'

물의 벽이 무너진 순간 가시들이 나를 찌르려 했지만 내가 날린 물방울이 머리를 관통한 게 먼저였다.
아슬아슬했다. 타이밍을 못 맞췄으면 몸에 바람구멍이 몇 개씩 생겼을 것이다.

"으..."

팔에 박힌 가시를 뽑자 상처가 아물기 시작했다.

"이제... 여왕개미만 남았으려나?"

어차피 길은 하나밖에 없었기 때문에 이 길을 따라갈 수밖에 없었다. 이 길은 그리 어둡지는 않았다. 이렇게 되기 전에 건물 관리는 잘 되었었는지 센서 등은 잘 켜졌다. 길은 온통 핏자국과 시체 조각, 그리고 시체 썩은 냄새로 가득했다. 이로써 시체를 이곳으로 옮겼다는 것이 확실해졌다. 계속 걷다 보니 길의 끝이 보이기 시작했다.

"…"

순간적으로 눈살이 찌푸려졌다. 길의 끝에 존재하던 것은 생각보다 끔찍했다. 길의 끝에 있던 방은 사람이 20명이 들어갈 수 있을 정도로 컸지만 그 돌연변이의 크기는 방의 반 이상은 차지하는 것처럼 보였고 걸을 필요가 없어 퇴화가 되어버린 것인지 팔과 다리는 매우 짧았다. 밖에 돌아다니던 것들의 모체라고 증명하듯이 생김새 또한 끔찍했다. 배에는 큰 구멍이 3개가 뚫려 있었는데 그 구멍에서 돌연변이가 나온 것 같았다. 이 장면을 보면서 낯설고 이해할 수 없는 끔찍한 무언가를 본 것에서 나온 혐오감과 이제 이 일을 끝낼 수 있다는 희열감이 함께 느껴졌다.

"그동안  저기서  돌연변이들이  튀어나왔다
는 거네.. 이제 더 이상 나오지 않겠지만."

가시  돌연변이의  머리를  관통했던  물방울
이  여왕개미 돌연변이의  머리도  관통했다.
시체조차도  남기지  않게  하기  위해  성냥
으로  여왕개미  개체에  불을  붙인  다음에
건물  밖으로  나갔다.  나가보니  비는  그쳐
있었고  햇살이  나를  반겨주는  것  같았다.
이제  형의  복수는  끝났지만  복수  이후의
계획은  세우지  않았기에  많이  고민되었다.

"일단  남은  돌연변이  박멸을  우선적으로
해야겠네..."

여왕개미가  죽었다고  해도  이미  양산해낸
돌연변이들은 멀쩡히 돌아다닐 것이다.

"뭐...  천천히  처리하다  보면  되겠지...  형
의  복수도  끝났으니...  다시  어떻게  살아
남을지  고민이라도  해봐야  하나..."

형이 죽기 전에는 이딴 세계에서 살아남는 것이 목적이었다. 형의 죽음 이후 복수가 목적이었고 그럼 다시 살아남는 것만을 목적으로 할까... 아니면 다른 목적을 찾을 수 있을까?

눈앞에 힘을 잃고 축 늘어진 시체 두 구. 이미 혼을 잃고 쓰러진 두 사람을 지배하고 있는 건 인간의 정신이 아니었다. 손가락이 꿈틀거리는 것을 시작으로 숙주의 신체 구조를 조사하듯 온몸이 발작을 일으킨다. 그것은 얼마 지나지 않아 구부정하게 두 다리를 딛고 일어섰다.

"꺼, 꺼억, 우어어ㅡ."

그 지식인들은 한 가설에 본인들의 목숨을 걸었다. 비록 그 가설의 증명을 끝까지 해낼 수 없게 될지라도 아무 상관이 없는 것처럼. 실패한다고 하여도 겸허히 받아들이리라.
썩은 피 냄새가 진동했다.

어스름하게 푸른 하늘 아래에서 숨을 쭉 들이켰다. 새벽녘의 공기가 차갑다. 이내 폐부를 찌르고 들어오는 피비린내에 얼굴을 와락 찌푸리곤 고개를 홱 돌렸다. 그랬더니 이제는 흉측하게 일그러진 잔해물이 눈에 들어와서 기분이 역으로 더러워졌다.

인간이었던 것. 하지만 이제는 그 원형을 알아볼 수도 없을 정도로 훼손된 시신이 겁화에 휩싸인 채 활활 불타오르고 있다. 타닥타닥 불꽃 튀어 오르는 소리가 귓가를 감돌았다. 불쾌한 온풍이 훅 불어닥친다.

"현! 다친 데는 없겠죠?"

소리가 들려온 방향을 향해 눈알만 굴려 다가오는 이들을 쳐다본 현이 무심한 낯을 풀지 않고 도로 눈알을 제자리로 돌렸다.

"어."

　혹시라도 좀비에게 물렸다간 그 전염이 전체로 퍼지는 건 순식간이다. 그런데도 동료들은 현이 당연히 다쳤을 리 없다는 듯이 아무 경계심 없이 다가온다. 그들에게 현이 성의 없이 긍정을 표했다.
　서먹하기 그지없는 반응에 일순 사이가 나빠 보이기도 했다. 하지만 현을 오래도록 봐온 이들은 그게 단지 현이라는 인간 특유의 예민한 성정에서 비롯되었다는 걸 바로 알아볼 것이다.
　가만히 현을 주시하던 동료 중 하나가 히죽 웃으며 옆에 붙었다.

"흐음~ 당신이 새빠지게 괴물 놈들을 처리할 동안, 저희는 이런 걸 찾아왔는데……."

　겉옷 안주머니에서 그가 작고 네모난 갑을 하나 꺼냈다. 한때 유명했던 회사의 상표가 그려진 그것.

"있으면 있다고 진작 말하라고."

 그제야 현의 얼굴에 화색이 돌았다.
 포장지를 뜯어 안을 열어보니 20개비의 담배가 차곡차곡 들어있는 모습에 어느덧 불쾌감은 가시고 마음에 평온이 찾아온다.
 담배 한 갑을 통 채로 내줄 정도라니, 이번에 식량 탐사조가 잭팟을 터뜨렸나 보다. 물론, 현은 이들 중에서 압도적으로 기여도가 높았으므로 당연한 대우였다.
 바로 품속에 대충 처박아둔 라이터를 꺼냈다. 담배 피우는 용도는 아니었고 목적은 대체로 다른 데 있었다. 시체 처리에는 불태우는 것만 한 게 없다는 걸 세상이 망하고 나서 깨달을 줄은 몰랐다. 이것저것 해봤는데 그게 제일 가성비 좋더라.
 생각에 잠긴 것도 잠시, 곧장 머리를 털어내고 입에 담배 한 개비를 물었다.
 부차적인 생각은 뇌 용량이 허가하는 내에서 대충 뒤로 다시 밀어두자. 지금은 즐길 때니까. 구차한 삶에 몇 안 남은 낙이 폐를 태우는 일이라는 게 퍽 우스웠다.

치익, 하고 라이터에 불이 들어온다. 현의 탁한 눈동자에 생명을 머금고 활활 타오르는 불꽃이 아롱아롱 맺혔다. 영롱한 불꽃이 불어오는 바람을 맞아 금방이라도 꺼질 듯이 위태롭게 흔들렸다.

서둘러 끄트머리를 들이밀며 불을 붙이는 순간 영롱한 빛이 검은 색채를 흘리며 탁한 연기가 되어 부서진다. 망설임 없이 연기를 깊게 들이마셨다. 새벽녘의 차가운 공기도, 시체 타는 냄새도 잊을 만큼 매캐하고 더러운 맛. 종이 타는 냄새가 무자비하게 코를 후빈다.

이대로 폐가 불타서 죽고 싶다. 딱 죽고 싶을 만큼 기분 좋은 도파민이 뇌를 어지럽혔다.

"좋은 건 알겠는데, 이제 슬슬 가죠?"

"쯧."

살아있는 한 불쾌함이 가실 일은 없다.

매 순간 깨닫고 만다.

 언짢은 기색을 숨기지 않으면서도 별말 없이 현은 동료들에게 합류하듯 가까이 다가가 섰다. 이제 다시 거점 구역으로 돌아갈 시간이다.

---

 흑갈색 눈동자가 허공을 눈에 담았다. 리나의 말간 눈에 맺히는 상은 흐릿한 저 위의 가로등뿐이다.

 세상이 이 지경이 됐는데 용케도 불이 들어오는구나. 불필요한 감상에 젖은 채로 시간을 축냈다.

 어느 날 갑자기 세상이 망했다. 종말론자들은 환호했고 종교인들은 그들이 믿는 신들을 부르짖었으며 소시민들은 각자의 살길을 도모했다. 당시 태어나기도 전이었던 리나가 알 리가 만무한 사실이었다.

 삐걱거리는 나무 의자에 앉아 아스팔트 도로의 끝자락을 멍하니 응시한다. 기다리는 사람이 있었다. 항상 기다리니 이제는 누군가 이 자리에 의자까지 만들어서 놓았다.

"저기, 길 좀 묻고 싶은데."

고개는 돌리지도 않고 눈동자만 데굴 굴려서 소리의 근원지를 바라봤다. 한 남자가 어색한 투로 말을 걸었다. 등 뒤에는 큼지막한 백팩을 메고 있고, 손에는 적정선 이상으로 물이 가득 들어찬 페트병을 쥐고 있다.

좀비는 아니군. 중대 사항이 아니라고 판단한 리나가 다시 눈을 원래 자리로 돌렸다. 누구에게 옮은 습관인지, 벌써 싹수가 노랗다.

"저기?"
"……."
"야! 내 말 안 들려? ……혹시 진짜 안 들리는 건가?"

오, 그럴 수도 있겠다. 저 혼자 고개를

주억거리던 그가 이제는 소녀의 옆에 털썩 주저앉았다.

 순식간에 높낮이가 바뀌었다. 리나를 내려 보던 남자는 이제 아래에서 리나를 올려 보고 있었다. 어중간하게 빗겨 나가던 시선이 드디어 딱 맞게 들어가는 순간이었다.

"넌 이름이 뭐야? 난 이강우라고 하는데."

"……"

"해충 박멸이라는 원대한 꿈을 품고 여기저기 쏘다니는 불나방이지. 너는?"

 말귀 못 알아먹는 인간 취급과 동시에 질문을 마구 던지는 꼴이란. 게다가 해충 박멸을 꿈꾸는 불나방? 웃기지도 않았다.

 그 말이 뜻하는 바는 확실했다. 첫 만남부터 좀비를 해충으로 비유하며 그들에게 노골적인 적의를 표한다. 상식적으로 개인적인 원한이 있지 않고서야 일반적인 사람이 가질만한 증오가 아니다. 가끔 그런 사람들이 있었다. 소중한 사람을 좀비에게 잃고 끝없는 증오에 먹혀 제 한 몸까지 바쳐 불태우는 사람.

 심지어 이제 처음 만난 사람이 하는 말이라곤 온통 역설투성이다. 애초에 사고방식이 그렇게 되먹은 인간이라는 증거였다. 리나는 그런 사람을 싫어한다. 대게 명이 짧은 편에 속하는 족속이었기에.

 별로 좋지 않은 기억이 떠올랐다.

"성질 더러운 꼬마 아가씨구나."

 어느새 짜증 어린 표정을 짓게 된 리나의 얼굴을 가만히 들여다보던 이강우가 입꼬리를 올려 미소 지었다. 일부러 말을 무시하고 있다는 걸 진작 알고 있었다는 듯이 태연하다.

 지금까지 홀로 살아남은 게 그저 운은 아니었는지 그렇게 맹한 사람은 아닌 모양이었다.

"거처가 필요해서 왔다면 잘 왔네요. 중

간중간에  표지판  있으니까  그거  따라서  쭉 가든가 알아서 하세요.”
“말이  많아졌네?”

 빠르게  쫓아낼  생각을  귀신같이  알아채고  꼬투리를  잡는 모양새가  일품이다.
 오래  엮이면  귀찮아지겠어.  리나는  머릿속으로  이강우에  대해  경고  표시를  체크하기로  했다.

“뭐요.”
“아니. 친절한  설명  고마워.”
“…….”

 퉁명스러운   대꾸에도   헤실헤실   해맑고  선한  표정이  이질적이다.  의외였다.  원래이  정도쯤  되면 열에  일곱은  겉으로  내색하지는  않아도 속으로  예의 밥 말아  먹은  꼬맹이라며  불만을  표하는  게  티가  나는데.
 인내심은   생각보다   높이   평가받을만한  가치다. 리나는 그에  대한  평가를  조금 수

정했다. 진짜로 심성이 착해 먹었든, 속에 뱀 몇천 마리를 품은 능구렁이든 간에 여러모로 쓸모가 많겠구나.

 이제 갈 길 가겠거니 하고 다시 신경을 끄려는데, 이강우는 그대로 멈춰 서서 페트병의 뚜껑을 열기 시작했다.

"이건 답례."

 페트병 안에 가득 차 있던 물이 저 혼자서 찰랑찰랑 흔들리더니 페트병 바깥으로 튀어나와 둥그런 구체를 이루고 멈춘다. 이내 그 물이 오색찬란한 빛을 뿜으며 발광하기 시작했다.

"등불, 좋아하는 것 같아서."
"……."

 계속 흐릿한 가로등만을 빤히 쳐다보고 있던 것이 그에게는 그렇게 받아들여졌던 것일까.
 이후로도 해가 뜰 동안 자화자찬하며 이

게 바로 자기가 얼마 전에 익힌 신기술이라며 이것저것 원리를 설명해주는 말을 리나는 한 귀로 듣고 한 귀로 흘렸다. 솔직히 성가시고 귀찮다.

"내가 좋아하는 건 등불이 아니라……."

단지, 그가 떠난 후에야 속에서부터 울컥 올라오려 드는 건방진 감정의 말허리를 끊고 다시금 침묵을 시도할 뿐이었다.

서서히 침몰해 가는 세상 속에서 빛바랜 추억이 점점 늘어나는 것은 전혀 이상한 일이 아니다. 등불 같던 사람의 모습이 선명하게 머릿속으로 그려진다. 결국 사람이라는 것도 소모품인지라 닳아 없어지는 걸 막을 수 없었다.

새벽이 가고 어느덧 동이 틀 무렵.

거점 구역에 거의 다 오고 나니 이제야 신경 쓰이는 것이 있다. 현은 제 소매에 코를 박고 킁킁거리며 냄새를 들이켰다. 피비린내와 지독한 탄내에 이어 매캐한 담배 냄새까지. 바람이 미처 가져가지 못한 온갖 더러움이 그에게 맺혀 있었다.

소매에 처박았던 고개를 다시 바로 하고 전방을 바라봤다. 역시. 오늘도 있다. 황량한 도로 위의 나무 의자에 다소곳이 앉은 채로 홀로. 리나가 그곳에 있었다. 어느 순간부터 빠짐없이 기다려오곤 했으니 당연한 일이다.

"오늘도 있네요."
"하긴, 쟤도 이제는 집에 있어봤자……."
"야! 입 좀 다물어 너는."

경박하게 입을 놀리는 사람은 늘 있다. 지적해봤자 시간 낭비일 게 뻔한 뒷이야기를 애써 들춰보는 수고를 들이지 않기로 했다.

면박을 주고받는 동료들을 무시하고 현은 먼저 앞서나가 저를 기다리는 이에게 곧장 다가갔다. 뒷말을 듣고 나니 되려 망설임이 줄었다.

"가자."
"응."

　오래 기다렸다던가, 아침 인사말도 없이 흘러나오는 말을 차갑고 투박하다. 익숙하고 당연한 말은 굳이 입 밖으로 내뱉을 필요도 없다.
　피인지 흙인지 모를 이물질로 가득한 먼지투성이 손을 잡으려 다가오는 작은 손을 보며 현은 짧은 감상에 빠졌다. 역시 어린애 정서에 별로 좋지 않은 것 같다고.
　그럼에도 내치지 못하고 결국 잡고 마는 까닭은 서로가 같은 마음을 지니고 있으니 어쩔 수 없는 일이었다. 사랑이란 감정은 고결하고 순수하지만, 결코 이타적이지 않다. 적어도 두 사람에 한해서는 그랬다.

"손이 차다."
"방금 외부인이 들어왔어."
"그러냐."

외부인이라. 현이 잠시 생각에 잠겼다. 곧 있으면 겨울이다. 슬슬 전투 인원에 충원이 필요해서 쓸만한 놈이 무리에 들어왔으면 하는 마음이 있었다.

"초능력자야. 물."
"그건 참 좋은 소식이군."

현이 이를 드러내며 씩 웃었다. 그게 정말로 기분 좋을 때만 나오는 표정이라는 걸 아는 리나는 묘한 뿌듯함을 느끼며 이강우라는 사람에 대한 평가를 더 올렸다.
거점 안쪽으로 들어가는 길. 용도가 불분명한 잔해물이 즐비한 풍경이 멸망한 세계를 연상시켰다.
시선을 좀 더 틀어보면 원래는 운전자에게 주의를 주려는 목적에 따라 사용되어 왔을 것이 분명한 표지판들이 길가에 널려 있는 모습도 확인할 수 있다. 그 표지판 위에는 삐뚤빼뚤한 모양으로 화살표가 덧대어져 있어 더는 원래의 형체를 알아볼 수 없었다.

 화살표의 방향을 따라 쭉 들어가니 여러 장애물과 판자로 덧대어진 채로 하나의 요새를 형성하고 있는 건물이 보이기 시작했다. 언뜻 보기엔 하나의 건물로 착각하기 쉽지만, 건물 여러 개 사이를 철판이나 나무판자로 이어 붙여 아예 새로운 하나의 성채를 이루고 있는 모습이 사람들의 절박함을 대변하는 것 같기도 하다.

"아, 현. 왔군요."
"오셨네요."
"항상 수고 많으십니다."

 웬일로 전투 인원끼리만 모여서 성채의 중앙에 있다. 그들이 리나의 발걸음에 맞추어 느릿느릿 걸어오는 현을 향해 반갑게 인사를 건네며 아는 체를 했다.
 딱 보니 확실하게 용건이 있어 보였다. 이미 리나에게서 언질을 들어 둔 터라 그게 무슨 용건인지도 감이 왔다. 그렇지만 그건 그거고 이건 이거다. 밤을 새운 터라 빨리 들어가서 자고 싶었던 현은 훅 끼쳐 오는 귀찮음에 귀를 후비적거리며 대충 먼 곳을 향해 시선을 던졌다. 그건 누가 보아도 튈 각을 재는 무책임한 상관의 모습이었다.

"무슨 생각을 그렇게 하시나?"

무슨 일인지 알지만, 그냥 튀고 싶다. 여태껏 잘도 그렇게 살아 온 현을 동료들은 잘 알아도 너무 잘 알았다. 그러니까, 도망치려고 작정한 상관을 붙잡는 데에는 어느 정도 도가 터 있다는 뜻이다.

"수고 더 하셔야죠?"

뒷걸음질을 치는 순간 어깨가 탁 잡혔다. 다른 퇴로는 없는지 양옆을 살펴보지만 이미 사방이 가로막혔다.

마이웨이가 강한 것으로는 현에게 절대 뒤처지지 않을 녀석들이 웬일로 반가운 척을 하며 인사를 한다 싶더니, 역시나 꿍

꿍이가 있었다.

"이래서 눈치 빠른 놈들은."

결국 현은 저항을 포기했다. 체념한 투로 팔짱을 끼니 그제야 동료들은 현의 뒤로 물러났다. 동시에, 곳곳에서 끼쳐오는 시선에 현은 눈살을 찌푸렸다.

더는 전기를 자유롭게 쓸 수 없는 세상. 이제 막 아침이 되어서 불이 들어오지 않는다는 사실이 운신에 큰 영향을 주지는 못한다. 그렇다고 예전처럼 환한 빛을 마음대로 손에 넣고 다룰 수는 없었다. 그러니 결국 아침이어도 세상은 제법 어둡게 보였고, 저절로 묘한 긴장감이 조성된다.

각자 방 안에 틀어박힌 채 사방에서 뚫어져라 쳐다보는 수많은 시선이 느껴졌다. 어둠 속에서 다닥다닥 달라붙어 있는 허연 눈들은 묘하게 등골이 오싹해지게 만드는 힘이 있었다.

시선이 향하는 곳이 어디일지는 뻔했다. 오늘 막 이곳에 당도한 외부인. 물속성 초능력자라던 그를 향한 경계심이 너무도 노골적이어서 차라리 빠르게 일을 끝내고 다들 들여보내는 게 좋을 것 같아졌다.

"대충 받아. 고급 인력이라면서?"
"그건 그렇긴 한데⋯⋯."

현이 하품을 쩍쩍해대며 건성으로 하는 말에, 일부 사람들이 난감함을 드러냈다.
현이라고 그 난감함을 이해하지 못하는 건 아니었다. 지금까지 이렇게 필사적으로 살아남았을 정도면, 다들 인간이란 생물이 어디까지 수렁에 빠질 수 있는지 볼 장 다 봤을 만큼 잔뼈가 굵어져 있었다.
혹시 모를 사태에 대비해 외부인에 대한 경계심을 세우는 태도가 나쁜 건 아니다. 하지만 현이 앞서 말했듯이 그는 고급 인력이다. 뒤에서 몰래 가시를 세우는 거라면 또 몰라도, 저리 대놓고 티를 내는 건 별로 좋지 못했다. 지금까지 악착같이 살아남은 건 저쪽도 다르지 않았기에 머리 굴러가는 속도는 절대로 얕볼 수준이 아닐 터였다. 분명 눈치 빠르게 제 입장을 알아챌 게 뻔했다.

"오~ 안녕하세요! 전 이강우라고 하는데, 당신이 여기 총책임자인가요? 그리고 우리 꼬마 아가씨는 또 보네?"

 ……역시.
 사방에서 꽂혀오는 시선이나 당장 바로 앞에서 경계하는 태도를 모를 리가 없을 텐데 전혀 주눅 들지 않고 오히려 살갑게 웃는다. 유일하게 안면을 튼 이에게 망설임 없이 말을 걸면서 저가 얼마나 건드릴 수 있는지 시험부터 해보는 모습이 이강우라는 남자의 담대함을 알리는 듯했다.

"……안녕하세요."

 리나가 별거 없는 안부 인사에 답하는 모습을 보고 몇몇 사람들이 이강우를 보는 시선이 살짝 달라졌다. 사람을 극도로 가리는 탓에 현 외에 다른 사람이랑은 잘 대화도 하지 않는 아이가 오늘 처음 만난 외지인의 인사를 받아주다니.

 아닌 게 아니라 리나의 감은 정말로 쓸 만했다.

 그들은 까다롭게 일일이 사람을 선별해 받지 않는다. 최소한의 인간성을 갖춘 상태에서 당장 같이 일할 수만 있다면 크게 문제로 삼지 않는 이들끼리 모였기에 가능한 일이었다. 더불어, 온갖 인간성을 버린 이들이 판을 치는 세상에서 그들은 비교적 온화한 편에 속하는 집단이었으니 그들과 함께하고자 하는 이들은 많았다. 따라서 외부인이 이 집단에 들어오는 건 꽤 흔한 일이 되었다.

 리나가 타인에게 말을 걸지 않는 것 또한 흔한 일이다. 그게 잘 모르는 외부인이라면 더하면 더했지 덜하지는 않았다. 하지만 말을 걸지 않는 것을 넘어 노려보기까지 할 정도가 되면…… 그 사람의 결말은 대체로 좋지 못한 편에 속했다.

 서로 눈짓을 교환하며 시선을 나누던 이들이 고개를 살짝 끄덕거린다.

더는 이의 없다는 뜻인가. 현이 눈알만 데굴 굴리며 돌아가는 양상을 확인했다.
 그리고 그 변화를 눈치챈 건 현뿐만이 아니었다. 이강우 역시 기민하게 알아채고 두 눈 가득 이채를 빛낸다. 리나의 입지에 대해 재고하는 눈치였다.
 현이 픽 웃었다. 머리 잘 돌아가는 놈은 언제나 환영이다.

"총책임자 같은 거 아니다. 이미 대충 잘 알아먹은 것 같지만, 내 입으로도 직접 말해주지. 입단 축하한다."
"저 근데 궁금한 거 많은데요!"
"어어 그래, 혼자 궁리 잘해보던가. 난 자러 간다."
"……예?"

 얼빠진 표정을 뒤로 하고 현이 훌쩍 떠나갔다. 그 옆을 리나가 손 꼭 붙잡고 졸졸 따라가는 풍경이 지극히 자연스러워서 두 사람이 얼마나 친밀한 사이인지는 말로 설명하지 않아도 잘 알 것 같았다.

하지만 그럼 뭐 하는가. 이강우는 어이가 없었다.

총책임자로 보이던 사람이 뭐라도 설명을 해줘야 생판 처음 보는 사람들과 저도 적응을 잘하든가 말든가 하지, 이렇게 허허벌판에 툭 던져 버리고 제 갈 길을 가다니. 이 원한은 톡톡히 기억해 두고야 말겠다.

"……저 사람 이름이 뭐라고요? 다시 한 번 말해주세요. 제가 아주 잘 기억해야 할 것 같아서요."

현은 귀가 좋다. 정확히 말하자면 전체적인 신체 능력이 비약적으로 뛰어난 편이라고 하는 것이 옳았으나, 그 이상의 설명은 생략한다. 이미 한참 떨어져 있지만 뭐라 말하는지 전부 다 들렸다.

저 멀리서 뭐 사람이 저러냐고 빽빽거리는 이에게 원래 저 사람이 좀 그래요……라며 은근슬쩍 푸념을 늘어놓는 말소리들은 그냥, 무시하기로 했다. 늘 있는 일상이었다.

---

"단체 이름이 자경단이었군요."
"아, 몰랐냐?"
"덕분에요."

 말은 상냥하지만, 삐죽 튀어나온 입술이
이강우의 속마음을 미처 다 숨기지 못하
고 대변했다. 몸에 뱄는지 습관처럼 하는
건성의 대답을 들으니 더 얄미웠다.
 이강우가 다시 만난 현을 물끄러미 바라
봤다. 전체적으로 온몸에 붙어 있는 마른
근육에, 창백한 낯. 예민하고 날 서 있는
인상이 그의 성격을 알렸다.
 이미 이 정도만 보아도 평범한 축에 드
는 외형은 아닌데, 그중에서도 가장 시선
을 사로잡는 것은 바로 현의 오른쪽 눈이
었다. 검은 안대로 가려진 채 그 안을 드
러내지 않고 있다. 안대 주변에 다 가리지
못하고 길게 쭉 내려와 있는 짙은 상흔이

안대 속의 광경을 감히 짐작하게 했다.

　어쩌다 그런 꼴이 됐는지 궁금증이 목 끝까지 차오른다. 하지만 굳이 입 밖으로 꺼내지 않기로 했다. 사연 있는 사람은 널리고 널렸다. 별것도 아닌 걸로 갈등을 일으키는 건 오히려 제게 손해가 되는 일이다.

　그래도 그냥 한 번 던져 보는 것 정도는 성격 파악도 할 겸 그리 나쁘지 않은 일이 되겠지만…… 곱게 마음을 접었다. 오늘은 달리 할 일이 있다. 이미 물으리라 작정한 사안만 따져 보아도 충분히 선을 넘는 일이니 이리저리 들쑤시는 일은 자제해야 했다.

"뭐, 아무튼. 이름이 현 맞죠? 당신이 대장이 아니면 대체 누가 여기를 책임지는 거죠?"

"……."

"없다는 말은 마시죠. 이렇게 큰 집합체를 우두머리도 없이 다스릴 수 있을 리가 없잖아요?"

하지만 그 선을 건드리기로 결심하는 데에 별다른 고민이 필요하지는 않았다.

이강우는 성인군자가 아니다. 자선사업가나 무료 봉사자는 더더욱 아니다. 사람 간에 지켜야 할 도리를 모르는 건 아니지만 무한한 배려는 오히려 독이다. 넘겨짚느니 터뜨리는 게 나았다.

처음 도착한 그 순간부터 느낀 묘한 분위기가 뇌리에 강하게 남아 뒷맛이 영 찝찝했다. 외부인을 멀리하는 데에도 정도가 있지 이 정도로 정보 공유가 안 되면 이강우도 마음을 달리 먹을 수밖에 없었다. 신뢰 없이 능력만 쪽쪽 빨아먹을 생각이 보이면 바로 튈 각을 재야 했다.

"그건, 흠. 너무 기분 나빠하지 말라고. 대장이 없는 건 사실이야."

잠시 할 말을 고르던 현이 담담한 투로 이강우를 달래듯 조곤조곤 설명하기 시작했다. 아무리 현이 매사에 귀찮아하는 편이라고 해도, 인간 사회에서 관계의 중요성에 대해서는 허투루 생각하지 않는다는 걸 나타내듯 그 목소리는 진중하고 또렷했다.

"죽은 사람이 많아. 어디를 가든. 여기도 다를 거 없었지. 단지, 터부 시 되는 이야기가 있을 뿐이야."
"대장이 죽어서 없다는 소리를 길게도 돌려서 말하는군요."

절로 날카롭게 나오는 어조를 이강우는 제지할 필요성을 느끼지 못했다. 그는 본인의 가치를 아주 잘 알고 있었다. 대강 계산해 봐도 이 정도는 충분히 허용 범위다. 초능력자란 그런 것이었다. 더는 연구할 학자들조차 제대로 구할 수 없어 그 원리는 규명될 수 없었지만, 확실한 건 그들은 대체로 인간을 초월해 있는 편이다. 이른바 진화한 인간.
개인 사정을 넘어 한 공동체를 이루는 사람으로서 공유해야 하는 일에 역정을

내진 않을 거라는 계산, 그리고 어느 정도
는 떠보려는 의향도 담겨 있었다.

툭 던지듯 그 터부라는 걸 건들었을 때
현은 무슨 반응을 보일까. 하루 이틀 같이
일할 게 아니라면 언젠가는 해볼 필요가
있는 일이었다.

"그녀는 인망이 높았어."

형형하게 빛나던 왼눈이 먼 곳을 바라보
듯 초점을 흐린다. 한 공간에 있는 두 사
람의 시선이 완벽하게 빗겨 나간 채로 서
로 다른 것을 투영했다.

그 눈에 비치는 건 바로 눈앞에 있는 이
강우가 아니라, 그녀라고 칭해진 사람의
모습이겠구나. 굳이 속마음을 입 밖으로
꺼내지 않아도 그녀가 현에게 얼마나 소
중하였을지는 자명한 사실이었다.

깊게 가라앉은 눈과 씁쓸한 미소를 머금
은 현을 마주 바라보며, 이강우는 다시는
그녀와 관련된 주제를 꺼내지 않기로 마
음먹었다.

세상이 워낙 흉흉해서 조금 날카로워졌을 뿐이지, 이강우는 그렇게 인성에 모자람이 있는 인간이 아니다. 단체 생활에 있어 필요한 정보를 원했던 것이지 피비린내 나는 개인사를 부득불 뱉어내게 할 생각은 아니었다.

 대신, 분위기를 환기하듯 표정을 풀고 다시 생글거리며 장난스러운 미소를 입에 걸었다. 이것으로 마지막 질문이었다.

"다들 당신을 높으신 분 모시듯 우러러 보던데요?"
"난 받아들일 수 없다."

 단호한 즉답. 이강우는 바로 이해했다. 왜 현이 대장으로써의 역할은 다하고 있는 주제에 정작 그 직함을 손에 거머쥐지는 않고 있는 것인지. 어떤 대단한 애정은 그 실체를 잃고 난 후에도 온전하게 보존된다. 비어있는 자경단장의 자리가 바로 그것을 증명했다.

 전과 크게 달라진 건 없지만, 사정을 아

는 것과 모르는 것 사이에는 큰 차이가 있다. 적어도 무리에서 큰 자리를 차지하고 있는 현이 이강우에게 호의적인 태도를 유지하는 것을 확인했으니 그것으로 만족했다.

"좋아요. 이해했어요. 그럼 난 지금부터 뭘 해야 할까요?"
"자경단의 분위기는 대부분 자유롭게 풀어져 있는 편이다. 자기가 한 일은 알아서 책임지는 신조가 팽배하지. 그래도 나름의 규칙이라는 게 있어."

 인간성을 버리지 말 것.
 민간인을 공격하지 말 것.
 각자 1인분 몫은 할 것.

"이 세 가지만 잘 지키면 자경단은 사람을 가리지 않고 받아들이지."
"세부적으로는?"
"탐사조, 상비 인원조, 전투조로 인원을 크게 나눠 쓴다."

"저랑 당신은 전투 인원이겠군요."

　생존에 필수인 생필품을 찾아다니는 탐사조.
　극단적으로 개조된 건물에 비가 새지 않도록 보수하는 일부터, 전기나 가스를 대체할 수단을 찾거나 최소한의 일에 사용될 수 있도록 기계를 아예 개조시키고, 또 작물을 재배하는 일까지, 실질적인 생활과 밀접하면서도 가장 다양한 분야의 일을 담당하는 상비 인원조.
　이 모든 지지 기반을 전투조가 책임진다. 주변을 싹 돌아보며 좀비가 거점 구역에 침입하지 못하게 미리미리 싹을 잘라내고, 탐사에 앞서 먼저 그 주위의 좀비들을 소탕하는 전투에 특화된 사람들. 업무의 강도가 높은 만큼 이들 중에서는 제일 자유도가 높은 직군이었다.

"정기적으로 청소를 하는데…… 난 혼자서 다니는 편이다."
"예? 혼자? 요?"

집중해서 잘 듣던 이강우가 눈을 휘둥그레 뜨며 현을 빤히 응시했다. 저는 초능력자라 여태껏 혼자서 잘 쏘다녔다고 쳐도, 그냥 인간이 홀로 좀비떼를 누비며 돌아다닌다고? 제정신인가?

현은 뭐라 더 설명하려 입술을 달싹거리다가, 이내 다시 입을 다물었다. 대신 보면 알 거라며 낮게 읊조릴 뿐이었다.

---

흉악한 살의로 가득 들어찬 밤.

거대한 도끼가 공기의 저항을 전혀 받지 않는 것처럼 경쾌한 궤적을 그리며 두개골을 깨부순다. 썩은 피가 줄줄 새어 나오면서 악취가 사방으로 번졌다.

"현."

"뭐?"

도끼를 휘두르는 손짓을 물 흐르듯이 자

연스레 유지하며 현이 돌아보지도 않고 대답했다.

후웅! 콰가가각!

도끼가 휘둘러짐과 동시에 흘러나오는 바람을 가르는 소리가 살벌하게 울리며 좀비들의 머리를 박살 낸다.

뒤에서 공격하고 물러났다가 다시 공격한다든가, 방패가 되어줄 지형지물의 활용 없이 그저 신체의 깡 스펙으로 모든 걸 밀어붙이고 있다.

일격필살. 반격을 대비할 필요도 없이 단한 번의 공격으로 하나를 없애버리고, 인간의 생명 반응에 가까이 다가오는 놈들을 차례차례 처리한다.

압도적인 공격력은 방어를 따로 필요로 하지 않는다는 것은 이럴 때 비로소 쓰일 수 있는 말이 아닐까. 저 무거운 걸 조금의 딜레이 시간도 없이 끊임없이 휘두르는 게 인간의 신체로 가능한 일이라니. 믿기지 않는 광경에 이강우의 입이 쩍 벌어졌다.

"솔직히 말해요. 당신 신체 증강 계열 초능력자죠?"
"재밌는 농담이군."

달밤 아래 빛을 받아 환한 현의 눈동자만이 자리에 남았다. 어느새 그 많던 좀비들이 다 머리가 부서진 채 흙바닥에 널브러져 있었다.

"농담 아닌데……."

작게 중얼거리는 소리를 무시하며 현이 시체를 한곳으로 모으기 시작했다. 한 번에 불태워 없앨 생각이었다.
한편, 그걸 옆에서 바라보는 이강우는 그답지 않게 잔뜩 쪼그라들어 있었다. 혼자서 다닌다더니, 과연 그럴만했다. 이런 압도적인 학살극 앞에 일반적인 전투 인원은 필요도 없을뿐더러 되려 방해만 안 되면 다행인 수준이었다.

깨달음과 동시에 이강우는 혼자서 좀비를 쓸어 다니는 현이 왜 이강우를 옆에 끼고 데려왔는지 알 것 같아졌다.

"그야말로 초능력자가 아니고서는 마음에 안 차는 신체 능력이군요, 현."
"그래."

 선선히 나오는 긍정. 역시 이 남자는 성격이 그리 좋지 못하다. 자기보다 약한 파트너는 짐덩이로 여기는 것이나 마찬가지 아닌가.

"그래서 만족은 하셨는지?"
"어. 개쩔더라 그거."

 현이 좀비떼를 쓸어버릴 동안, 이강우도 가만히 있지만은 않았다. 어두운 밤중에 사각을 노리고 들어오는 놈들에게 물줄기를 쏘아내며 이마 정중앙을 뚫고 다녔다.
 뭐, 지금 보니 도움은 필요 없었던 것 같지만, 현은 그게 퍽 마음에 들었던 모양이다.

"아니 근데 진짜 초능력자가 아니라고
요?"

 아직도 미련을 버리지 못하고 현 초능력
자설을 들이미는 이강우를 보며 현이 픽
웃더니 겉옷 안주머니를 뒤지다 담배 한
개비를 꺼내 입에 물었다.

"예전부터 몸 쓰는 일은 다 잘했어."

 예전. 아마 좀비가 없던 시절을 뜻하는
것이리라. 본인도 말하다가 아차 싶었는지
다시 입을 다무는 게, 딱히 의도하고 꺼낸
화제가 아니었던 것 같다.
 그 시절에 대해서는 제각기 가지고 있는
심상이 다르다. 대부분은 그 이야기를 떠
드는 것조차 꺼린다. 애써 머릿속에서 지
우려 했던 빼앗긴 삶이 떠올라버리니까.
 치익. 라이터 불 켜는 소리가 멀게만 느
껴진다. 줄기차게 뿜어낸 허연 연기가 밤

공기를 날아다녔다.

"한 대 피울래?"

 지독한 냄새에 저도 모르게 질린 표정을 짓고 있는 이강우를 향해 현이 장난스레 웃었다.

"으엑, 그거 독한 거 아니에요? 전 됐어요."
"비흡연자였군."

 독해서 좋은 건데ㅡ 짧은 중얼거림과 함께 그걸로 대화는 끝났다.
 메마른 눈동자가 활활 불타오르는 시체 더미로 향한다. 이강우는 현의 그 눈빛에서 어떠한 감정도 읽어낼 수 없었다.
 애매하고 어중간하면서 다양한 것이 과하게 뒤섞이는 바람에, 그 무게를 재볼 수조차 없게 된 폐기물을 보는 것처럼 종잡을 수 없다. 너무 많은 걸 담아내고 있는 그 메마른 눈동자로 무슨 생각을 하고 있을지는 영영 모를 일이었다.

―――――――――――――――――――――

 날쌘 인영이 훌쩍 뛰어올라 담벼락의 꼭
대기 위로 내려앉는다. 극도로 말라 있는
몸이었음에도 보기와는 다르게 운동 신경
이 좋은지 가뿐해 보이는 기색이었다.

 "우와― 담배 쩐 내 완전 심해."

 그 몸짓처럼 날아갈 듯이 가벼운 목소리.
조금만 눈을 돌려 바라본다면, 웬 방정맞
은 여자가 눈꼬리를 휘며 실없이 웃고 있
겠지. 익숙한 모습이 눈에 선했다.
 슬슬 주변의 풍경도 눈에 들어왔다. 바닥
에는 누구의 흔적인지 숨길 생각도 없는
지 주인이 누구인지 명백한 담배꽁초가
마구 버려져 있고, 흙은 재와 뒤섞여 공간
자체에 냄새를 강렬하게 기억시켰다.
 고개를 들으면 인적 드문 골목이 보인다.
칼자국이나 총알구멍이 담벼락 군데군데

에 박혀 있다. 무슨 일이 있었는지 반쯤 부서지다 말았지만, 오히려 그 부서진 잔해물을 치우지 않고 그대로 놔두니 벽이 완전히 허물어지지 않고 버티는 구조로 되어 있다.

즉, 어느 쪽으로 들어오려고 하든 높은 장벽을 뛰어넘지 못하면 들어올 수 없는 구조로 봉쇄된 길목이었다. 잠깐 몸을 숨길 장소로 딱 알맞은 쓰레기 같은 아늑함이 느껴진다.

현은 이곳이 어디인지 잘 알고 있었다.

"당신, 어지간히 헤비 스모커인가 봐?"

고개를 돌리지 않고도 목소리의 주인을 바로 알겠다.

익숙한 기시감. 기억 속에 오래도록 남은 과거의 재현. 현은 눈꺼풀을 느긋하게 팔랑이며 기이한 현실감을 저항하지 않고 받아들였다. 아니, 이 말은 사실 틀렸다. 지금 이곳은 꿈속이니까. 그야 죽었다고 생각하고 있는 사람이 저렇게 멀쩡하게

돌아다니고 있으니 지극히 당연한 추론이
었다.
 멍하니 쭈그려 앉아 있으니 그녀가 고개
를 갸웃거리다 가까이 다가온다. 그러더니
생전 초면인 사람을 상대로 숨소리가 들
릴 거리까지 얼굴을 가까이 들이대며 해
사하게 미소 지었다.

"나도 한 대만 줘."
"흠."

 차분한 어조를 유지하고 있지만 눈이 반
짝거리는 건 숨길 수 없었다. 그녀가 했던
말대로, 헤비 스모커인 현의 눈에는 딱 봐
도 생전 담배 한 대 피워 본 적 없는 사
람이 간헐적으로 가끔 가지는 흥미가 뻔
히 보였다.
 그 당시의 현은 안 그래도 부족한 담배
를 탐하는 것으로도 모자라서 그 어투가
내내 날아갈 듯이 가벼운 모양새라는 것
이 괜스레 신경에 거슬려 그답지 않게 짓
궂게 심술을 부리고 말았다.

"후우ㅡ."

 목구멍 깊숙이 빨아들인 연기를 초면인 여자의 얼굴에 그대로 내뿜는다. 와락 인상을 구기며 한참을 기침하던 그녀가 이내 시원하게 웃어 젖혔다.

"콜록! 콜록, 켁! 성격 나쁘기는!"
"보아하니 네게 피워질 담배가 더 불쌍한 꼴이 되겠군."

 몇 모금도 못 버티고 얼마 지나지 않아 나가떨어져서 버려질 담배가 낭비라는 뜻이 담긴 말이 가히 그 성질머리를 짐작하게 했다.
 면전에서 타박을 듣고도 아랑곳하지 않고 그 옆에 털썩 주저앉는 여자를 현이 물끄러미 쳐다봤다. 피하지 않고 마주 바라보는 눈이 새까만 뱀을 연상시켜 심상치 않은 분위기를 자아낸다.
 그 여자의 첫인상은 꺼림직하고 무례하

며 순진무구했었다는 사실이 다시금 떠오르는 순간이었다.

"현. 한참 찾아다녔다고. 당신이 그 괴물 같은 피지컬로 유명한 사람 맞지?"
"어이, 자기소개가 빠졌잖냐."

탁한 연기를 줄줄 내뿜는 담배의 머리를 툭툭 두드려 재를 털면서 현이 사납게 웃었다. 이 험한 세상에서 초면인 사람이 얼마나 위험할지를 생각해보면 합당한 경계였다.

"내 이름은 미네야. 선량하고 가녀린 시민이니 괜한 의심은 접어 둬."
"그건 두고 봐야 알 일이겠지."

현이 흙바닥에 담배를 비벼 끈 후 자리에서 일어섰다.

"뭐야, 가게?"
"땡땡이 중이었거든. 오늘 일은 비밀이

다."

 뒤통수를 빤히 쳐다보는 맹한 시선을 뒤로 하고, 현은 담벼락 위로 훌쩍 뛰어오르며 제 갈 길을 떠났다.

---

 달콤한 꿈이 끝나고 현실로 곤두박질쳐진다. 아침부터 숨이 얼어붙을 만큼의 추위가 들이닥쳤다. 겨울이 머지않았다.

"사상자가 나왔습니다."
"……."

 오랜만에 옛일을 회상하며 붕 떠올라 있던 마음이 팍 식었다. 굶주려 있는 위장을 채우기도 전에 일이 터져 현은 곧바로 회의실로 불려 오고 말았다.

"가까스로 도망쳐 나온 목격자들의 진술로는 총을 들고 제복을 입은 사람들의 소행이라고 합니다."

 총, 그리고 제복.

"그래, 무슨 뜻인지 잘 알고 있어."

 특징이 이렇게나 또렷하니 굳이 범인을
색출하려 애쓸 필요도 없었다.
 아무리 세상이 망했다고 해도 총기 소지
불법 국가에서 갑자기 막 총을 아무나 가
지고 다닐 수 있게 되는 건 아니다. 애초
에 그럴 권한을 가지고 있던 자들. 경찰,
또는 군인. 둘 다일 수도 있다. 대체로 비
슷한 부류의 사람들이 한 군데에 모이는
법이니까.

"이건 아무래도 그들이 세력을 확장하면
서 일어난 마찰인 것 같죠?"
"귀찮군……."

 현이 인상을 팍 쓰며 팔짱을 꼈다.
 상대가 인간이면 좀비에 비해 일 처리가

훨씬 더 찝찝해진다. 그게 싫어서 자경단에 들어왔지만, 어쩔 수 없는 순간이라는 게 찾아오기 마련.

"좀 더 멀리 봐야 할 수도 있겠어."

겨울이 다가오는 시기에 사달이 났다. 이건 단순한 세력 다툼이라고 단정 짓기보다는 다른 쪽의 가능성을 열어둘 필요가 있었다.
겨울이 오면 농사를 지어 식량을 마련하기 어려워진다. 여느 계절처럼 멀리 나가서 식량을 구하려 했다간 추위에 휩쓸려 죽을 가능성이 크다. 생존 위협에 내몰린 무력 집단이 할 선택은 그리 많지 않았다.

"그건……."

아예 다른 한 집단을 쳐서 부족한 자원을 메꿔 겨울을 보낸다.
현을 제외한 다른 동료들은 주변 지역에 퍼져 있는 자경단의 유명세를 고려해서

그 가능성을 그다지 높게 치지 않는 모양
이지만…… 현은 생각이 좀 달랐다.

그는 자경단에 들어오기 전까지 여러 단
체 이곳저곳을 전전하며 떠돌이 생활을
오래도록 한 탓에 좀비 사태 이후의 인간
관계와 관련한 경험치가 몹시 높았다. 그
중에는 정신 나간 인간도 아주 많았고, 그
끝이 어떠하였는지는 다 설명하기 입 아
플 정도로 좋지 못한 꼴을 띄고 있었다.

그러나 사안이 너무 논점에서 벗어나는
건 좋지 못하다. 이쯤에서 현은 다시 대책
을 논의하는 쪽으로 대화 주제를 바꾸기
로 했다.

"뭐, 그래. 일이 어떻게 되었든 해야 할
일은 크게 달라지지 않겠지."

적들의 목적이 현이 우려하는 바와 다르
다고 하여도 이미 시비가 붙고 사상자가
나온 이상 충돌은 돌이킬 수 없다. 자경단
쪽에서 평화적 해결을 원한다고 해도 사
람을 죽일 정도로 극단적인 놈들이 이미

붙은 시비를 물릴 리 만무한 상황이다.

한두 번 봐주는 것도 정도껏 해야지 계속해서 예외가 생기면 그저 그런 쳐도 반항하지 않는 조직이 된다. 이 험난한 세상에서 얕보인다는 것이 얼마나 위험한 일인지는 길게 설명할 필요도 없다. 굳이 그 점을 직접 집어줘야 할 정도로 순진한 사람은 이 자리에 없었다.

"저 질문 좀 할게요."

침묵을 깨고 이강우가 손을 들었다. 기껏 다시 주제를 원래대로 돌리려 했더니 예상외의 복병이 다시 이야기의 진행을 중단시켰다.

"보통 사람 사이의 갈등은 어떤 방식으로 해결하는 편인가요?"

현은 이강우가 무슨 생각을 하고 있는지 온전히 알아볼 수 있었다. 현 또한 한때 고뇌에 빠지게 했던 딜레마.

좀비를 죽일 있는 사람은 같은 사람도 죽일 수 있다. 죽고 죽이는 게 너무 익숙해진 나머지 곧잘 머리를 마비시키곤 한다. 왜 사람은 사람을 죽이면 안 되는 걸까? 그 행동에 정말 가치가 있는 걸까? 대부분 깊이 생각하지 않고 그래야만 하는 일로 인식하고 있으니 발생하는 오류다.
 다만 지금껏 좀비만을 처리해오던 이강우는 이 부분을 확실하게 짚고 넘어갈 필요성을 느꼈다.
 인간성이란 무엇인가. 사람이 사람을 죽임으로써 사람은 무엇을 잃게 되는가. 인간성을 잃은 인간은 좀비와 다를 바가 없다.
 이강우는 좀비가 싫었다. 그러니 좀비가 되고 싶지 않아 하는 것 또한 당연한 일이다.

"일이 벌어지고 난 뒤에는 무슨 수를 써도 늦게 되어 있어. 다들 비슷한 경험이 있으리라 믿는다."

그　공간의　모두가　죽은　이들의　얼굴을　떠올리며　눈을　내리깔았다.　이미　투지를　불태우던　이들은　더　강한　확신을　얻게　되었고,　남몰래　망설이던　이들　또한　마음을　굳혔다.

"미약한　가능성에　기대는　것만큼　어리석은　일은　또　없지."

　필요에　따른　살인.　죽느니　죽이라는　의미가　담긴　말이　무정하게　귓속으로　파고든다.
　이강우는　죽은　형을　떠올렸다.　좀비가　형을　죽였다.　하지만　좀비가　아니라　다른　사람이　형을　죽였을　걸　생각해보니,　결심이　섰다.

"그래요.　저도　동의해요."

　지키고　싶은　게　있다는　것.　사랑이라는　감정을　느낀다는　것.　그것이면　충분했다.

형을 죽인 좀비에게 복수하겠다는 마음을 먹었던 그 순간의 이강우와 지금의 이강우 사이에 변화는 없다. 그는 달라지지 않았다.

"뭐, 말은 그렇게 했어도 대화 시도가 우선이긴 하다만."

당당하게 말할 때는 언제고 다시 의욕을 잃었는지 현이 의자에 몸을 파묻었다.

"좋아요. 이제 인원을 나눠봅시다!"

이야기가 소강상태에 접어든 것을 확인한 다른 단원이 박수를 짝! 치며 초점을 원래의 주제로 되돌렸다.
의견이 통일되자 남은 일은 일사천리로 해결됐다. 길을 아는 사람과 거점을 지킬 몇몇을 뺀 전투 인원 다수. 그들이 팀을 이뤄 길을 떠나기로 했다.

"곧 있으면 도착합니다."

길을 아는 사람의 소곤소곤 속삭이는 안내 사항을 모두 전해 들은 단원들이 하나같이 숨을 죽이고 마지막으로 무기 상태를 점검하기 시작했다.

 회피 기동 능력이 뛰어난 자들로 교섭할 인원을 골라내고, 그들을 앞세워 보낸 후 나머지 전력은 뒤에서 매복한다. 모든 일이 순조롭게 흘러갔다.

 뒤에서 몰래 지켜보고 있으려니 익숙한 옷을 입은 자들이 나타났다.

 현은 절로 찌푸려지는 미간을 차마 감추지 못했다. 경찰복…… 마지막으로 남은 자존심이자 한때 위대했던 구세계 최후의 유산이라는 걸까? 좋지 않은 기억이 떠올라 미간을 꾹 내리눌러 다시 머릿속으로 집어넣었다.

 사람들이 종말을 받아들인 방식은 각양각색 다양했다. 누군가는 빠르게 적응해서 생존에 집중하는가 하면, 모든 걸 포기하고 죽음을 바라는 자들도 있었고, 오히려 손 밖으로 빠져나가기 시작한 유산을 애써 부여잡고 미련을 줄줄 흘려내는 사람들 또한 있었다.

"쯧. 저건 안 되겠군. 전투 준비해라."

현의 말에 모두 뛰쳐나갈 듯이 자세를 잡았다.

이강우는 그 진위를 확인하기 위해 눈에 힘을 주고 앞을 바라봤다. 저 멀리 수풀 뒤에서 개미보다도 작게 총구가 드러나 있는 모습이 보였다. 점점 그 가까이 접근하는 자경단 측의 교섭 인원.

교섭은 시작하기도 전에 결렬됐다. 입술을 작게 물어뜯은 이강우가 있는 힘껏 무형의 에너지를 끌어 올렸다.

두두두두!

거의 동시에 기관총이 연달아 요란한 굉음 소리를 내며 온 사방에 울려 퍼진다.

위험을 감지하고 재빠르게 데구루루 구른 자경단 교섭 인원 앞으로 반구형의 푸른 실드가 희미한 빛을 뿜으며 꼼꼼하게 총알 세례를 막아냈다.

 자경단 사람들 앞에 나타난 실드가 조금이라도 늦었으면 그래도 워낙 빠르게 피해서 죽지는 않았겠지만, 몸 몇 군데에 구멍이 뚫릴 뻔했다.

 이강우가 식은땀을 닦으며 한숨을 푹 내쉬었다. 급박한 상황에 페트병 안의 물을 저 거리까지 보내는 건 무리였고, 비도 오지 않아서 허공에서 물을 생성해야 하는데다, 원거리 지원까지. 심지어 사람 하나하나 다 챙기면서 실드가 뚫리지 않게 신경 써야 하는 작업이다. 정신력을 적지 않게 까먹는 고난도의 운용이었다.

 강하게 고막을 자극하던 기관총 소리가 그쳤다. 탄창을 교체하는 찰나의 순간. 거의 유일한 약점 타이밍의 등장에 현이 눈을 빛내고.

"잘했어."

 스쳐 지나가듯 희미하게 미소 지으며 이

강우를 바라본 현이 곧장 앞으로 내달렸다. 다른 사람이라면 미쳤냐며 꾸짖어도 모자라지 않았지만, 이미 그 괴물 같은 신체 피지컬을 직접 눈으로 확인한 이강우는 그리 걱정하지 않고 후방 지원을 준비하기 시작했다.

"뭐, 뭐야 저거!"
"이런 미친 새끼가 다 있나!"

귀기 어린 눈빛을 한 채로 거대한 도끼를 손에 쥐고 인간 같지 않은 속도로 점점 가까워지는 현을 본 적들이 당황하며 내지르는 고함이 선명하게 귀에 박혔다.

"하여간 네놈들은."

핏자국을 지우려 애쓴 듯한 제복. 수많은 피를 묻히고도 빛바랜 명예를 포기하지 못한다. 현이 그들을 싸늘하게 내려다보며 도끼를 들어 올렸다. 목표하는 곳은 적들의 머리가 아닌 그들이 두 손으로 소중하게 쥐고 있는 기관총이다. 불필요한 살생을 원하지 않았다.

머리 위까지 들어 올린 도끼를 적들이 두려운 눈빛으로 바라봤다. 탄창을 가는 시간은 그리 길지 않다. 그런데 이 미친 괴물이 그 길지 않은 시간 속의 간극을 정확히 파고들어 오는 바람에 대응할 수단이 없다시피 하다는 것을 깨달은 것이다.

후웅!

햇빛에 비친 빛을 짧게 반사한 금속류를 놓치지 않고 포착한 현이 귀신같은 반응 속도를 자랑하며 섬광처럼 몸을 움직였다.

팍! 챙그르르—

"아악!"
"한결같이 마음에 드는 구석이 없군."

단 한 번의 몸짓으로 적군이 들고 있던

단검을 멀리 걷어찬다. 겁먹은 척 연기하며 반격할 틈을 노리던 수작질은 현의 발차기 한 번에 나가떨어졌다.

　순식간에 총기류의 제압을 마쳤다는 걸 확인한 다른 단원들도 지원에 나섰다. 이변은 바로 그 순간 일어났다. 환한 낮에도 눈을 찌르고 들어오는 거대한 빛이 영역을 지배한다. 섬광탄이었다.

　인상을 와락 찌푸린 현의 한쪽 눈으로 방대한 빛이 흘러 들어와 순간 뇌의 사고 처리 기능을 마비시킨다. 짧은 블랙아웃이 현을 덮쳤다.

---

　무미건조하다. 회색빛의 도시. 현은 꼭 그것을 닮아 있었다.

　세상이 멀쩡하게 굴러가던 때에도 현은 어딘가가 고장 나 있었다. 지루하다. 뭘 해도 큰 감흥이 들지 않는다. 하고 싶은 게 없다. 아무것도 하지 않고도 살아갈 수 있을 것 같다.

회색빛의 도시를 닮아서, 너무 닮아버려서, 도시의 비정상적인 면모까지 스펀지처럼 빨아들이고 만 것일까. 어긋난 것을 되돌릴 수 없다. 태생이 그랬다.

하고 싶은 일이 없어서 잘하는 일을 하기로 했다. 나고 자라면서 쭉 몸 쓰는 일은 다 잘했다. 많은 돈을 바라지 않았다. 그저 안정적인 수입을 원했다. 그렇게 경찰이 되었다.

"흐응~ 그렇구나. 참 따분한 이야기네."
"……왜 내가 이런 말까지 다 하고 있는지."

푸석푸석한 까만 머리카락에 칠흑같이 어두운 눈. 눈가에 내려앉은 진한 다크 서클과 눈물점이 함께 하고 있어 오묘한 분위기를 자아내는 여자. 살이 없는 걸 넘어 빼빼 마른 가느다란 몸이 그녀의 삶이 순탄치 못했음을 보여주는 듯했다.

미네가 땡땡이를 치는 현의 옆에 한껏 불량해 보이는 자세로 앉아 있었다.

"아닌 것처럼 보여도 당신은 은근 순진한 구석이 있거든."
"싸우자는 건가?"
"발끈하는 모습도 재밌어."
"그냥 내가 입을 다물겠다."

종말. 그것은 갑작스레 찾아왔다. 처음에는 아무도 믿는 사람이 없었다. 늘 있었던 감염병의 확산. 걱정하고 두려움에 떨면서도 결국 누군가가 백신을 만들어 사태를 진정시키리라. 공포를 웃음으로 승화하며 괜히 호들갑을 떨었다. 하지만 세기말 종말론을 대하듯 조롱하던 사람들의 웃음이 그치는 데에는 얼마 걸리지 않았다. 점점 장악해오던 공포가 한순간에 터진 날은 아마도, 전기가 끊기던 날. 전국에서 잘 나오던 뉴스가 뚝 끊기고, 에어컨이 나오지 않았으며 인터넷이 먹통이 됐다.
점점 어둑어둑해지는 하늘을 올려다본 현이 자리를 털고 일어섰다.

"미네, 슬슬 돌아가."

"뭐, 그래. 나도 오늘은 적당히 게으름 피웠으니까ㅡ."

현은 미련 없이 선선히 떠나는 미네의 뒷모습을 가만히 지켜봤다.

사람들은 고립됐다. 정부가 남아 있는지에 대해서는 의견이 불분명했으나, 확실한 건 이미 이 나라는 국가의 기능을 상실했다는 사실 하나뿐이다.

개개인의 시민들이 모여 알아서 살길을 도모해야 했다. 좀비 감염 사례가 폭발적으로 늘어났다. 물리고 싶지 않으면 죽여야 한다. 그것도 머리를 터뜨려야 한다. 사람들이 점점 인간성을 잃어갔다. 무력의 중요성이 대두되고, 결국 생존에 가장 유리해진 건 원래도 무력을 가지고 있던 집단. 대표적으로 경찰이 있었다.

현이 속한 경찰서는 시민들에게서 일정한 식량을 받는 대신 보호를 약속했다. 미네는 바로 그 시민 중 하나였다.

"하고 싶은 일은 없어?"
"……."

 미네가 돌아가다 말고 괜스레 현을 돌아
봤다. 뜬금없는 질문이었다. 동시에 거슬
리기까지 했다.
 심연을 들여다보는 것처럼 새까만 눈동
자가 현의 편린을 엿보려 뱀의 아가리를
벌리듯 진득하게 시야를 사로잡았다. 늘
보던 묘하게 꺼림직한 눈이다. 그러나 현
은 그 눈을 피하는 법이 없었다.
 실수했다. 무심코 눈을 마주 바라보는 데
에 집중이 쏠려 답을 고르는 시간을 너무
들였다. 현이 느릿하게 고개를 저었다.

"없다."
"그래도 한 번 생각해봐. 인간은 꿈을 먹
고 크는 생명이잖아."

 아무 생각 없이 툭 던진 말이 날아와 가
슴에 들어박힌다. 미네는 알고 있을까. 아
무렇지 않게 던진 그 말이 현의 역린이었

다는 것을.

　소망이나, 희망, 어떠한 향상심. 모두 현이 그리 좋아하지 않는 키워드였다. 가질수 없는 것을 탐해서는 안 된다. 더 멀리있다는 것만 자각하게 될 뿐이니까.

"난 하고 싶은 게 정말 많은데."
"예를 들면?"

　무심하게 의문을 표하는 현을 보며 미네가 짓궂게 미소 지었다.

"비밀이야."
"……."
"그런 눈으로 보지 말라고? 좀 더 친해지면 귀에 딱지가 앉도록 자주 말하고 다닐 거니까."

　괜한 관심을 보였군. 현이 조용히 혀를 찼다. 역시 이 여자는 믿을 사람이 못 된다.

"너 이제 가."

 실없이 눈꼬리를 휘며 웃는 미네에게 정
색하며 손을 휘휘 내젓고는 더없이 매정
하게 돌려보냈다. 어차피 하루가 지나면
또 아무렇지도 않게 나타날 게 뻔했다.
 여름이 다 가고 있었다.

---

"예정일이 언제라고요?"
"음, 아마도 한두 달 뒤가 아니려나? 아
무래도 걱정이 많네……."

 들떠있는 목소리와 걱정이 가득한 목소
리. 낯익은 사람의 모습에 순찰 중이던 현
의 눈이 저절로 돌아갔다.

"어라, 현! 이리 와 봐."
"싫은데."
"아, 괜히 뻐기지 말고 빨리!"

미네가 요란스럽게 손짓하며 현을 부르니 결국 그 말대로 따라주고 만다. 일하는 중이지만 이미 밥 먹듯이 땡땡이를 반복해와서 그런지 그다지 양심의 가책은 들지 않았다.
 가까이 와서 보니 더 확실히 알 수 있었다. 미네와 떠들던 안색이 좋지 않은 여자의 상태가 어떤지.

"현. 반드시 잘 지켜줘야 해."
"미네, 그렇게 단호하게 말하지 않아도 돼."

 옆에 있던 여자가 평소와는 다르게 진중한 눈빛을 하는 미네를 만류하듯 손사래를 쳤다. 그 여자의 배는 생명을 잉태해 잔뜩 부풀어 있다. 언뜻 들었던 한두 달 뒤라는 건 출산 예정일을 가리키는 말임을 이해할 수 있었다.

"너무 걱정하지 마세요. 일이니까요."
"뭐야, 당신 그렇게 다정하게 말할 줄도

알았어?"

 현의 존댓말을 처음 들은 미네가 눈을 휘둥그렇게 뜨며 삿대질했다.
 심지어 그 말에 담긴 뜻도 겉보기엔 삭막해 보였지만 현을 잘 아는 사람이 들어보면 세심한 배려가 깊게 배어 있다는 걸 모를 수가 없었다. 오히려 일이기 때문에 허투루 대하지 않을 것이며, 해야 할 일을 하는 것뿐이니 너무 마음 쓸 것 없다는 뜻이 아닌가.

"너한테 한 말 아니다."
"나한테만 그렇게 박하게 대한다, 이거지?"

 삿대질하는 손가락을 다소곳이 접어준 현이 고개를 내젓는다. 마치 아주 엄청난 배신을 당하기라도 한 듯이 광기에 젖은 채로 번들거리는 눈을 보며 현이 잘못 걸렸다는 것처럼 작게 혀를 찼다.

"방금 혀 찬 거야? 혀 찬 거지?"

"잘못 들었다."

이 여자가 정신이 나갔나. 진심으로 의심하며 현은 고개를 갸웃거렸다.

임산부 앞에서 요란법석을 떠는 미녜의 입을 그냥 앞뒤 잴 것 없이 막아버려야 할지를 고민하던 현이 속으로 고개를 저었다. 아까까지는 수심 어린 표정을 짓던 여자의 얼굴이 눈에 띄게 밝아져 있었기 때문이다.

갑자기 왜 부르나 했더니 우중충한 분위기를 환기하는 일에 현을 써먹을 작정이었나 보다.

"덕분에 조금 마음이 편해진 것 같기도 하네. 나는 이만 돌아갈게."

"잘 가요! 몸조리 잘하시고요."

"조심히 들어가세요."

작게 웃으며 떠나는 여자를 사이좋게 배웅한다. 도대체 언제 티격태격했는지 모를 정도로 합이 잘 맞았다.

여자의 뒷모습이 보이지 않게 되자 미네가 현을 향해 돌아섰다.

"근데 꼭 지켜줘야 한다는 건 진심이야."

"꽤 의외군. 나는 그렇다고 쳐도 너도 그렇게 타인에게 마음 쓰는 부류로 보이지는 않았는데."

굳이 부정하지는 않고 미네가 의뭉스럽게 미소 지었다.

딱히 그녀를 욕하려는 뜻이 아니라, 현이 보기에는 진실로 미네는 이기적이고 저밖에 모르는 인간이었다. 그럴 수밖에 없을 만큼 험하게 살아온 게 너무도 뚜렷하게 드러나 있으니, 모르는 척하기도 어려웠다.

"기억이 시작되던 무렵부터 나는 보는 눈이 좋아도 너무 좋았거든."

"……?"

"인간의 인지를 넘어선 그 무언가……

아하하, 이건 좀 미친 소리로 들리겠지? 그래, 맞아. 맞는 말이야. 그냥 잊어버리는 게 낫겠어."

 그 뜻을 이해하지 못하고 현은 눈을 깜빡거렸다. 갑자기 그게 이 이야기와 무슨 상관이란 말인가. 관련이 있다고 해도 도통 알아들을 수 없는 단어의 연속이었다.
 물끄러미 쳐다보는 현의 시선을 말끔히 무시하며 미녜는 예의 그 골목으로 현을 이끌었다. 입에는 어느새 담배 한 개비가 물려 있었다. 그녀가 불은 붙이지도 않고 질겅질겅 씹어대니 순식간에 이빨 자국으로 가득해진다.
 분명 처음 만났을 때는 담배에는 손도 안 대본 눈치였는데, 어디서 구해왔는지 이제는 현에 버금가는 헤비 스모커가 되어서 돌아왔다. 슬슬 담배 취향까지 공유하는 지경에 이르렀다.

"당신들, 슬슬 난폭해지고 있는 거 알아?"

당신들. 아마도 경찰들끼리 모여 연합체를 이룬 지금의 파출소를 가리키는 말이 틀림없었다.
 현은 미네가 화제를 돌리는 대로 따라주기로 했다.

 "난폭해져?"
 "맞잖아? 별 시답잖은 일로 트집 잡는 일이 늘어나고 있다고."

 현은 잠시 생각에 잠겼다. 확실히 틀린 말은 아니었다.
 공존을 지속한 지 몇 달. 슬슬 시민들이 제공할 수 있는 식량도 다 떨어져 가고 있고, 곧 있으면 겨울이 온다. 히터도 난로도 거의 사용할 수 없게 되었던 첫 번째 겨울이 어떠했는지를 되새겨 보면 일이 생각보다 심각하게 돌아가고 있음을 바로 이해할 수 있었다.
 별로 생각하고 싶지 않은 가설이지만, 최근 난폭해지기 시작한 동료 경찰들은 어쩌면 입을 줄이고 싶어 하고 있을지도 몰랐다.

 생각에 잠긴 현을 가만히 내버려 두던 미네가 다시 주제를 돌렸다.

"당신은 좀비에 대해 어떻게 생각해?"
"별생각 없는데. 물리면 곤란하니까 없앤다."

 사실 정말로 별생각 없는지에 대해서는 현조차 자신에게 질문을 던지고도 한참을 매듭짓지 못해 갈팡질팡할 만큼 난폭한 어둠이 속에 자리 잡고 있었지만, 일단은 태연함을 가장하며 곧장 답했다.

"난 말이야, 좀비나 인간이나 다를 게 없다고 생각해."
"다를 게 없다고?"

 그동안 현이 봐온 바에 따르면 미네라는 사람은 멍청하지 않았다. 뜬금없는 소리를 자주 하면서도 가끔 정곡을 찌르고, 찌른

주제에 또 아무 일 없었다는 듯이 너스레를 떤다.

 이번엔 또 무슨 말을 하려는 거지. 현은 미네가 한 말의 뜻을 가늠하려 했다.

"결국 죽고 죽이는 약육강식. 인간이 소나 돼지를 잡아먹듯이 좀비는 사람을 먹고, 인간들은 마치 천적에 대항하는 소동물이라도 된 것처럼 굴고 있어."

"……."

"다 같이 원시 시대로 회귀한 거야. 모두가 짐승이 되었다고."

"……기분 나쁜 소리군."

 떫은 표정을 짓고 있는 현을 보고 미네가 꺄르르 웃는다. 그럴수록 현의 표정은 점점 더 썩어가고 있었다.

 미네의 말이 꼭 틀리지는 않은 것 같이 들려서 더 짜증 났다. 원래 틀린 말은 짜증 나지만 맞는 말이 그보다 훨씬 더 짜증 나는 법이다.

"당신은 사람을 죽일 수 있어?"
"미네."

 현이 눈살을 찌푸렸다. 더는 들어줄 수
없을 것 같았다.
 언제나처럼 아무렇지 않게 정곡을 찌른
다. 가장 여리고 약한 곳이 건드려진 현이
자기방어 기재가 나와버릴 것 같은 속을
억지로 내리눌렀다.

"이미 잘 알고 있잖아. 좀비나 인간이나
머리가 터지면 죽는 건 똑같아."
"……."

 속이 메스껍다. 답하고 싶지 않아 입을
꾹 다물었다. 이어지지 않는 주제의 연속
이 미네가 드디어 무슨 말을 하고 싶어
하는지 알게 했다.
 한때 사람이었던 것도 아무렇지 않게 죽
이는데, 하물며 그 좀비보다도 약해빠진
인간은?
 삐걱거리기 시작한 윤리 의식이 과연 모

든 걸 붙잡아 줄 수 있을까?

 답하기 어려운 질문이다. 하지만 미네는 스스로 묻고 이미 저 혼자 만족할만한 대답을 내놓은 모양새였다.

 흘러나오는 한숨을 막지 못하고 낮은 목소리로 내뱉는 대답은 결국 더없이 빈약해질 수밖에 없었다.

"나는 네가 무슨 말을 듣고 싶은 건지 잘 모르겠다."

"피를 보지 않고는 결정을 내릴 수 없나 봐?"

 미네는 동료 경찰들이 살인을 저지를 것을 이미 확정 짓고 있다. 더불어 점점 더 과격한 방향으로 흐르는 상황 속에서 당장 가까이 지내는 현을 떠보려 하고 있다.

"……."

 심증뿐이지만 강한 확신이 머리에서 자리 잡아 현의 대답에 제동을 걸었다. 쉬이 드러낼 수 없는 속마음을 캐내려 하니 저절로 소극적인 반응이 나왔다.

"그래, 알겠어. 못 들은 걸로 해줘."

 아마도 미네가 현에게서 들으려던 대답은 거창할 게 없는 '예' 또는 '아니오'처럼 한쪽으로 기울어진 확답.
 유예 기간이라도 주듯 미네가 빙긋이 웃으며 모든 걸 없던 일로 돌렸다. 제멋대로인 미네가 베푸는 몇 없는 배려였다.

"예감이 별로 좋지 않아. 당신도 조심해. 내 감은 잘 들어맞는 편이거든."
"저주하는 건가?"

 어느새 원래의 분위기로 돌아온 두 사람이 시시덕거린다.

"좋을 대로 받아들여. 책임은 스스로 지는 거니까."

미네가 휙 돌아서서 손을 흔들며 떠났다.
속을 알 수가 없다. 기분파에 변덕스러운
여자. 너무 시시때때로 자주 변해서 아마
본인도 자기 생각을 잘 모르지 않을까.
지금 다시 생각해보면 미네의 감이라는
건 놀라울 정도로 정확했다. 전혀 반갑지
않은 사실이었다.

———————————————————————

날아갔던 의식이 돌아오는 게 느껴진다.
흐릿한 의식이 점점 또렷해졌다. 몇 번 눈
을 깜빡거리던 현이 상황 파악에 나섰다.
섬광탄이 터지고 얼마 지나지 않았다. 현
이 의식을 잃었던 것도 아주 짧은 찰나의
순간. 괴물 같은 신체 능력이 금방 다시
의식을 복구시켰다.
대충 돌아가는 전황을 파악한 현이 바로
앞을 응시했다. 엉덩방아를 찧은 자세 그
대로 주저앉은 사람이 홀린 듯이 입을 열
었다.

"너…… 현이냐?"

"……."

어디선가 본 기억이 있는 얼굴이다. 사실 그렇게 놀랍지도 않았다. 원래 경찰이었던 집단에 속한 사람이 현을 알아보는 건 별로 이상한 일이 아니다. 떠돌이 생활을 하던 현이 예전에 속해 있던 단체에 함께 있던 이들 중 하나인 모양이다.

현이 싸늘한 낮을 한 채로 입매를 굳혔다.

"그리 보고 싶지는 않았는데."

"이 배신자……."

"네놈들이 미쳤다는 생각은 안 하나?"

아직 본격적인 전투가 시작되지 않은 상태에서 양쪽 진영의 사람 모두 둘을 주시하고 있었다.

"글쎄. 크흐흐……. 여기 있는 인원이 너무 적다고 생각하지 않나?"

구멍이 뻥 뚫린 인원에 빈약한 장비. 그렇다면 진짜 전력은 지금 어디에 있는 게 합당할까.

"설마."
"현."

잠시 물러서 있던 다른 자경단원 중 하나와 눈빛을 교환했다. 우려하던 사태가 터졌다. 상황을 이해하고 있다는 듯 고개를 끄덕이는 것으로 시선 교환을 마쳤다.

"양동작전이었군."
"지금 눈치채도 이미 늦었어!"

이쪽으로 시선을 돌리고 자경단의 거점 구역을 찬탈한다. 처음 예상했던 대로 단순한 세력 다툼을 넘어 저들은 자경단의 거점 전체의 자원을 원하고 있었다.
거점에는 최소한의 전력만을 남겨두고 온 상태다. 서둘러 이곳을 정리하고 돌아가야 했다.

"자주 붙어 다니던 그 여자는 어딨지?"

하필 미네와 함께 있던 곳 출신인가. 그렇다고 해도 달라지는 건 없다.
현은 도끼를 들지 않은 손을 말아쥐었다. 살인이 아니라 단순 제압용으로는 주먹이 훨씬 더 잘 먹힌다.

"설마 죽었나? 죽었구나! 하하하! 크하하하하! 그 건방진 것이 아주 꼴좋아!"

약점이라고 생각하는 부분을 건드려 신경을 자극한다. 미친 것처럼 내뱉는 폭소에 대비되는 날카롭게 빛나는 안광을 보아하니 시간을 끌려는 수작질이 틀림없었다. 이미 제 죽음을 예견하기라도 한 것처럼 하는 말에 거침이 없다.
기분 나쁜 웃음을 흘리는 놈을 바라보며 현이 사납게 웃었다.

"어 그래. 걘 천국에 갔을 테니까 너는 얌전히 지옥에나 떨어져 버려라."

 그녀도 딱히 착한 사람은 아니었지만. 뒷말은 눈치껏 삼키고 눈을 내리깔았다.
 무언가 터지는 과격한 파열음과 함께 전투가 재개됐다.

"어물쩍 넘기지는 않을 테니까 쓸데없는 생각 말고."

 뒤에서 느껴지는 동료들의 강렬한 시선에 대충 답하며 현이 주먹을 휘둘렀다.
 아군을 통 채로 죽여 없애 거점 전체를 손에 넣으려 작정한 적군. 그리고 그 적군 중 한 사람과 잘 아는 사이로 보이는 아군 측 간부. 현의 과거를 낱낱이 다 아는 사람은 이 세상에 더는 남아 있지 않으니 괜한 의심을 가지는 것도 어쩔 수 없는 일이었다.

광활한 숲속 깊은 곳.

오묘한 울림에 한동안 잠들어 있던 그것은 희뿌연 눈을 번쩍 떴다. 눈을 뜨는 행위만으로 주위에 삭풍을 일으킨다.

새가 요란스럽게 날아오르고 들짐승들이 천적에게서 도망치듯 그것을 중심으로 멀어졌다.

거의 모든 이지를 상실한 그것이 문뜩 제 손을 내려다봤다. 그 육체는 이미 기억이라는 걸 저장할 수 없게 된 지 오래다.

영혼이란 무엇일까. 영혼을 신체 일부라고 볼 수 있을까? 그렇다면 기억이라는 것은 어느 쪽의 파생일지, 살아생전 그것은 삶에 아무런 도움도 되지 않는 문답에 대해서는 늘 정통해 있었다.

운명의 손아귀에서 벗어나지 못하는 장난감. 그리하여 오랜 세월 공들여 원하는 단 하나의 미래를 손에 넣기 위해 부단히 애써 왔다. 이제 그 결실을 거둘 때였다.

회색빛의 도시. 현은 꼭 그것을 닮아 있었다. 달리 말하자면 비정상.

어린 현은 똑똑한 머리로 그 사실을 절절하게 깨닫고 있었다. 숨길 생각조차 못 하고 그게 고민이라며 토로하는 현을 내려다보며 그들은 차분히 미소 지었다.

"유전이야."

부드럽게 머리칼을 쓰다듬는 손길을 느끼며 현이 반쯤 눈을 감았다. 졸렸다.

그들이 귀찮은 문답을 넘기고자 술수를 쓰고 있다는 생각이 머릿속을 스치고 지나갔지만, 굳이 따지지 않기로 했다. 햇볕이 따스했으니까.

그런데, 유전이라는 게 무슨 뜻이지? 마지막으로 잡고 있던 상념은 꿈속 깊은 곳으로 부서지듯 산화했다.

미네가 사라졌다. 현은 여전히 그가 자리 하던 곳에서 근무 중이다.

입김을 부니 하얀 연기가 뭉게뭉게 피어 오른다. 서리가 내리고 겨울이 왔다. 식량 이 부족하다. 동사하는 사람이 늘고 있다.

탕! 탕!

"꺄아아아악!"

권총 두 발이 발사되는 소리와 함께 고 막을 찢을 듯이 날카로운 비명이 공기를 가르고 울려 퍼졌다.

동료 경찰들이 기어코 민간인에게 손을 대버린 것이다.

"식충이 놈들 따위에게 줄 음식은 없어!"
"이봐, 진정해."
"진정? 진정하라고?! 난 미치지 않았어! 오히려 지금까지 중 그 어느 때보다도 훨 씬 더 멀쩡하지!"
"손에 들고 있는 그 총부터 내려놓고 말

해.”

　슬슬　또　다른　곳으로　떠날　순간이　찾아
온　듯했다.　항상　이런　식이었다.
　대치　상태가　계속되는　가운데　뒤에서　소
란이　일었다.

“허, 허억! 주, 죽었어! 경찰이 사람을 죽
였다고!”

　결국　이렇게　되고　말았나.　현이　우뚝　멈
춰　섰다.　그러더니　천천히　돌아서며　눈꺼
풀을　무겁게　들어　올렸다.　피다.　검붉은
피가　보였다.　피가　멈추지　않고　계속　흘러
나와　웅덩이를　이루고　있다.
　사건의　장본인이　들고　있던　권총을　힘없
이　바닥에　툭,　떨어뜨렸다.

“아, 아아, 아아아아아!!”

　털썩　주저앉아　머리를　부여잡고　제　손에
죽은　사람을　바라보며　절규를　내지른다.

누가 보아도 완전히 미쳐버린 사람의 모습이었다.

현은 서둘러 주위를 둘러봤다. 곳곳에서 예사롭지 않은 소리가 섬뜩하게 울려 퍼지고 있다. 눈앞의 저 남자를 기폭제로 모방범들이 확산하고 있는 것 같았다.

죽음의 향기가 피어난다. 공간 전체를 사신의 낫이 휘어잡고 있는 듯한 착각이 들었다.

돌아가는 상황을 서서히 눈치채기 시작한 사람들이 두려움에 찬 시선으로 주춤거리며 뒤로 물러섰다.

그 미친놈 또한 그 광경을 바라보더니 눈을 희번덕거리며 품속을 뒤적거리다 호신용 단도를 꺼냈다.

소란에 이끌려 가까이 있는 사람들이 많다. 상황이 심상치 않게 돌아가는 것을 파악했으면서도 갈팡질팡하며 도망치기를 망설이는 이들로 인해 서둘러 자리를 빠져나갈 마음을 먹은 사람들까지 덩달아 붙잡혀 있어야만 했다.

각자 선택의 순간에 놓여있는 그때. 현이

눈을 차갑게 빛냈다. 이미 선택은 마쳤다. 더 이상 이곳에 있을 수 없게 되겠지만, 그건 늘 있었던 일이다. 일이 이렇게 된 때부터 돌이킬 수 없는 강을 건넌 것이나 마찬가지였다.

"무슨……!"

섬광처럼 재빠르게 몸을 움직인 현이 남자가 쥐고 있던 단도를 빼앗아 들었다. 그 칼이 원래 주인의 심장을 꿰뚫는 일은 얼마지 않아 일어났다.

"너……! 아아악! 꺽, 커억, 컥!"

발작하듯 떨리던 몸에 차츰 반응이 없어지는 게 피부로 와닿았다. 의지를 잃은 몸체에서 거침없이 찔러넣은 칼을 뽑고 그 몸을 잡고 있던 손에 힘을 뺐다. 시체가 거칠게 바닥에 내려앉으며 나뒹굴었다. 얼굴에 피가 튀었다. 현은 내내 무심한 낯을 유지하며 피를 손등으로 쓸어 대충 닦았다.

"한 번 사람을 죽인 놈은 두 번도 할 수 있지."

 완전히 정신이 나간 사람이 밀집 구역에서 대학살을 벌이려 했다. 현은 이미 예전에 속해 있던 곳에서 비슷한 경험을 셀수 없이 많이 겪었다. 그 참상이 얼마나 잔인무도한 그림을 그리고 있었는지는 말할 것도 없다. 허튼 가능성을 바라고 살려둬봤자 백해무익하다.
 생각에 잠긴 사이 주변에 붙어 있던 사람들은 혼비백산해 도망친 지 오래였다. 차라리 다행이다.
 이번에는 또 얼마나 멀리 가야 다시 삶을 이어갈 수 있을까. 피 묻은 칼을 들고 현이 다시금 생각에 잠기려던 그때, 발소리가 들렸다. 느릿하고, 담담하면서도 차분한. 급할 게 없다는 뜻이 아주 잘 느껴지는 걸음 소리.
 현은 기적을 강림시킬 수 있는 인간이

아니었음에도 뒤에서 들려오는 발소리의 주인이 누구인지 알 것 같았다. 지금 뒤를 돌아본다면, 틀림없이 그녀가 서 있겠지. 던지는 질문의 난이도는 하나같이 괴이하기 짝이 없지만, 절대로 답은 알려주지 않는 그녀가.

"그건 어느 쪽의 경험담이려나? 당신 기억 속의 그 사람?"

의뭉스러운 미소를 짓고서.

"아니면 바로 너? 너 말이야, 현."

천천히 돌아본 시야 속의 그녀는, 현의 예상과 한 치의 비틀림도 없이 딱 들어맞아 있었다. 말없이 사라졌던 미네가 전조 없이 다시 나타난 순간이었다.

───────────────────

화목한 가정. 아무리 바빠도 일주일에 한

번은 모두 모여서 식사하고, 계절마다 여행을 떠난다. 봄에는 벚꽃이 만개한 가로수길을. 여름에는 바다에. 가을에는 불꽃축제를 보러. 그리고 겨울에는…… 원래는 따스한 나라를 골라잡아 비행기를 타고 떠나야 했는데.

"확산이 빠르네. 금방 여기까지 오겠구나."

난데없는 감염병의 확산이 모든 계획을 중지시켰다.

"휴가 낼 필요는 없겠군요."

차분한 목소리와 대비되는 조금의 감정도 담기지 않은 눈에 같은 눈을 하며 대꾸한다.
그 화목한 가정은 속이 텅 비었다. 다 그렇게 생겨 먹은 작자들이었으니 어쩔 수 없는 일이었다.
금방 해결될 것이라 믿었던 사태는 걷잡

을 수도 없이 수렁으로 빠져들었다.

"인터넷이 끊겼어. 어쩔 수 없지. 우리가 직접 정의 내리는 수밖에."
"일단, 좀비라고 부르는 게 좋겠어."
"……."

창고에 처박혀 있던 화이트보드를 꺼내와서 마커의 뚜껑을 연다. 순식간에 하얀 배경에 수많은 글자의 나열과 관계도가 마커가 찍찍 그이는 소리와 함께 정리된다.
그들은 지식인이었다. 더 구체적인 직업명은 교수. 두 학자가 치열한 토론을 벌이고 여러 사료를 책 속에서 끄집어내는 동안, 현은 생존에 몰두했다. 어찌 보면 그 또한 돌연변이가 아닐까. 극도로 똑똑한 두 두뇌 사이에서 극단적으로 뛰어난 신체를 타고났으니까.

"물렸어."
"뭐라고요?"

"일단 지금 몸에서 느껴지는 증상을 말해 보자."

현이 잠시 쉬는 사이 식량을 확보하러 떠났던 그들이 나란히 물려서 돌아왔다. 이 상황이 당황스러운 건 오직 현뿐이었는지 둘은 서로 흥미롭다는 듯이 안경을 고쳐 쓰며 열렬한 토론을 이어 나가고 있다.

현은 멍청하게 그 둘을 뚫어져라 쳐다보는 것 말고는 달리 할 수 있는 일이 없었다. 당황스럽다. 팔이 물렸다면서, 이제 곧 좀비가 될 것 같다면서. 왜 그렇게 태연한 거지?

"……그렇게 결론 났으니, 현."
"칼을 들어. 덜 아프게 한 번에 심장을 노리는 게 좋겠어."

감정에 무뎌 잘 놀라지 않는 현이 입을 쩍 벌렸다. 지금 제가 무슨 소리를 들었는지 잘 이해가 가지 않았다.

"미쳤습니까?"

"음, 그럴지도 모르지."

"다만 우리는 널 강하게 키우고 싶을 뿐이란다. 이건 꽤 진심이야."

이왕 이렇게 된 거 사람을 죽일 수 있을 정도의 감성을 물들여 현의 생존력을 극대화하자. 둘은 그렇게 말하고 있었다.

하지만 그건, 현이 행동하지 않으면 그만이 아닌가. 저 두 사람은 무지막지하게 머리가 좋다. 그러니 이런 얄팍한 수로도 빠져나가지 못할 구멍을 만들어두었을 것이 뻔했다.

생각과 동시에 눈 위로 새빨간 궤적이 지나갔다.

"윽!"

무심코 부여잡은 오른눈에서 피가 후두둑, 하고 쏟아져 내린다. 어느새 두 지식인이 칼을 들고 서 있었다.

"경고했잖아. 난 오랜만에 생각보다 꽤 진심이야."

 충격으로 얼어붙어 가는 마음과는 정반대로 머리는 빠르게 회전했다. 눈. 눈을 노렸다는 건 그곳을 통해 뇌로 이어지는 길까지 염두에 둔 선택. 아마 저 두 사람은 현의 반응 속도까지 계산해서 공격했겠지만, 조금만 회피하는 속도가 늦었어도 지금보다 훨씬 더 좋지 못한 꼴을 볼 뻔했다는 것은 자명한 사실이었다.
 이후 일어난 일은 지극히 뻔하고, 또 두 지식인의 머릿속에서의 계산과 똑 닮은 진행이 이어졌다.

"네가 정말로 어렸을 때…… 한번 말한 적이 있던가?"

 죽어가면서도 호흡이 별로 가쁘지 않다. 언제나처럼 차분하고 담담한 목소리. 그리고 무기질적인 눈동자.

"유전이라고."

 평생 같이 살면서 웃는 걸 별로 본 적이 없는데, 그들은 웃고 있었다. 입가에 검붉은 피를 줄줄 흘리면서 걸고 있는 기괴하게 비틀어진 미소가 섬뜩하다.

"인간이라고 별거 없어. 단지 유전자를 후세대에 남기고 싶어 할 뿐이야."
"하고 싶어서, 취미라고 말하면서 하는 모든 행위가 결국에는 유전자의 계승으로 수렴하지."

 평생 변할 일이 없을 거라 여겼던 그 눈이 실핏줄이 붉거진 채로 반짝인다. 드디어 생에 의미를 깨달은 현자와도 같은 지혜와 광기가 공존했다.
 감정에 무딘 두 사람은 감정에 무딘 후계를 산출했다. 그 또한 어떠한 생존에 있어서 장점. 필요하기 때문에 버려지지 않은 유전. 그 유전자를 후대의 후대까지 계승한다. 살아남고, 또 살아남아서. 죽어도 죽지 않은 것이 되어서 만 년 뒤의 세상에도 그 존재의 계승이 영원할 수 있도록.

"네가 존재함과 동시에 만들어진 가설의 증명을 끝까지 할 수 없게 된 건 유감이지만, 충분히 남는 장사구나."
"끝까지 살아남으렴."
"……"

기분이 더러웠다. 몹시도 더러웠다. 태어난 순간부터 너를 실험체로 여겼노라고 고하는 목소리가 녹진하게 귀에 달라붙어 떨어지지 않는다.

현은 물끄러미 아직 온기가 남아 있는 시체를 바라봤다. 마지막 순간에야 환하게 빛날 수 있던 눈동자가 탁하게 가라앉았다. 현이 이를 악물며 두 사람의 눈을 감겼다.

사랑했었는지 증오했었는지에 대한 경계도 불분명하다. 너무 많은 상념이 한 데 뒤엉켜 더는 진심을 끄집어낼 수 없게 되어버렸다.

썩은 내가 진동한다.

"꺼, 꺼억, 우어어ㅡ."

두 시체는 얼마 지나지 않아 꿈틀거리기 시작했다. 아마 이 또한 그들의 계산 범위에 들어가 있는 사항이었으리라.

사람을 죽인 인간의 손길에는 더 이상 거침이 없었다. 순식간에 그 장소에는 머리 터진 좀비 두 마리가 나뒹굴게 될 뿐이었다. 이변은 없었다. 모든 게 두 지식인의 뜻대로 돌아갔다.

"생존력을 키운다고? 그냥 사이코패스를 만들고 싶었던 게 아니고?"

용케도 정신머리 꽉 붙잡고 있네ㅡ 미네가 조롱하듯 중얼거리는 소리를 현은 한 귀로 듣고 한 귀로 흘리며 주변 상황에 집중했다. 침몰해 가는 세상 곳곳에서 다양한 형태의 광기가 피어오르고 있었다.

"뭐, 그래도. 우연이든 필연이든 간에, 효용이 있긴 했네?"
"……하고 싶은 말이 뭐야."

싱긋 웃음 지으며 일부러 현의 신경을 바락바락 긁어내리는 미네의 어조에 현이 굳이 참지 않고 신경질적으로 대꾸했다.

"현, 절망하고 있어?"

현은 잠시 대답을 보류했다. 절망하고 있냐고? 그 시작점이 어디였는지조차 감이 오지 않을 정도로 아주 오래전부터, 어쩌면 제 비정상적인 면모를 깨달았던 때부터, 쭉 절망해 왔다. 현은 절망에 익숙한 사람이다. 거부하지 않고 받아들이는 데에는 도가 텄다. 세상의 흐름에 반기를 들지 않고, 그저 흘러가는 대로 내버려 둔다. 학습된 순응이었다.

답을 듣지 않고도 알만하다는 듯 미녜가 고개를 주억거리며 다시 자기 하고 싶은 말을 하기 시작했다.

"그거 알아? 난 사실 범죄자였어."
"……뭐?"

 늘 웃음기 어린 어조를 유지하면서도 정작 전체적인 태도는 늘 묘하게 정제되어 있던 미녜의 만면에 활짝 어린 미소가 기묘할 정도로 화사하다. 어느새 그녀의 두 손에는 빛이 어려 있었다.

"배고파서. 너무 배고파서, 감옥에 있는 밥이라도 먹고 싶었지. 그래서 실형을 선고받을 때까지 물건을 훔치고 또 훔쳤어."

 눈썹을 꿈틀거리는 현을 무시하고서 미녜가 말을 이어 나갔다. 마치 지금 네 의견은 별로 중요하지 않다는 듯이.
 그제야 들어맞는 것들이 있었다. 지나칠 정도로 말라 있던 몸이 그랬다. 변덕스러운 성격 역시 타고난 성정이 아니라 생존을 위해 변형된 산물이었으리라.

범죄자가 왜 자유롭게 풀려나 있는지 의문을 표할 필요도 없다. 이미 공권력은 힘을 잃었다. 탈옥 따위 무척이나 쉬워졌을 터. 뒤탈을 감당할 필요도 없다.

"하고 싶은 일은 없어?"

"넌 늘 선문답을 즐기는군."

"아하하! 그 말이 맞아. 난 하고 싶은 일이 많았어. 당신과는 정반대였지."

칠흑같이 어두운 눈동자에 어린 감정은 분명한 갈망이었다. 현의 무기질적인 눈동자와 상반되는 흐리지만 확고하게 그곳에 존재하는 빛.

"난 등불이 되고 싶어."

여전히 알아들을 수 없는 말은 넘겼다. 그제야 미네의 두 손 위에 얹어져 있는 빛을 자세히 들여다본다. 비슷한 것을 다른 곳에서 몇 번 본 적이 있다. 저 빛은 초능력이었다.

초능력의 개화. 천적의 등장에 인간은 진화를 시작했다. 좀비가 신체적인 진화를 했다면 인간은 정신적인 진화를 이루어냈다.

영혼, 기억, 인간성, 자아. 그 모든 것들이 조화를 이루며 한 인간의 정신을 구축한다. 극도로 압박당한 정신의 진화는 현실에 실체를 불러온다. 진화한 정신은 정신력이라는 실재하는 에너지를 생성하고, 바로 그 무형의 기운을 동력으로 삼아 머릿속의 소망을 실체화하는 그것이야말로 초능력이라 불리는 기적이었다.

"현, 용서받고 싶어?"

부모를 죽였다. 셀 수 없이 많은 사람을 죽였다.

"……아니."

체념한 투로 현이 힘없이 피실피실 웃었다.
 처음 손에 피를 묻힌 그 순간부터 용서를 바란 적은 없다. 착각해서는 안 된다. 필요에 의한 살인이라는 말은 성립 자체가 불가능한 악이다. 태생부터 비틀려 있던 성정의 소유자답지 않게 현의 심지는 꽤 곧았다. 본인도 모르게 무의식중에 다분히 노력한 결과였다.

"다만, 원한다면 전부 네 뜻대로 해라."

 타인의 의도대로 살아가는 삶은 익숙하다.
 눈부신 빛 아래 고개를 숙이고 몸을 낮춘다. 새 종교에 감화되어 개종하는 어리석은 인간이 된 것처럼. 새롭게 태어난 신의 빛에 닿으려 더없이 절절하게.
 악신이 저를 숭배하는 인간을 내려다보며 다정하게 볼을 어루만진다.

"난 등이 될 테니, 넌 불이 되어줘."

늘 그랬듯 잘 이해할 수 없는 말이다. 훗날 미네가 사실 좀비 사태 전부터 신기가 있던 사람이라는 말을 듣고, 단지 어떠한 미래를 예견하였다고 짐작만 겨우 할 수 있을 뿐이었다.

저 멀리서 갓난아기의 울음소리가 메아리치듯 들려왔다. 다음으로 한 일이 무엇이었는지는 뻔했다. 이름을 정하는 것은 두 사람의 몫이 되었다.

---

"공동 창립자였어요?"
"대충 그런 셈이긴 하지."

그날 이후 미네는 자경단을 설립했다. 첫 번째 단원은 다른 누구도 아닌 현이었고 두 번째는 리나였다. 정착하려 해도 사건이 끊임없이 터져 떠돌이 생활을 전전하던 일상을 드디어 청산하게 되는 순간이었다.

"어느 날, 언제나처럼 외부인이 들어오고 얼마 지나지 않아서 그가 좀비 바이러스에 감염된 상태였다는 사실이 발각됐지. 며칠 후 미네는 말없이 떠났어."

"설마……."

"다들 짐작만 할 뿐이다."

현이 말을 줄였다. 어떤 일은 그 전부를 밝히지 않아도 알 수 있으니까.

이강우는 그제야 처음 자경단 거점 지역에 들어갔을 때 느꼈던 노골적인 적의의 원인을 깨달았다. 외부에서 온 사람을 무턱대고 받아줬다가 그들이 그토록 선망하던 자경단장이 좀비 바이러스에 감염되어 홀로 떠나는 일이 발생한 것이다.

"거의 다 와 갑니다."

현의 과거사 일부를 들으며 빠른 속도로 자경단 거점 성채로 향하던 이들이 입을 다물었다. 곧 있으면 전투가 벌어진다. 입구가 눈에 들어오기 시작했다. 성채의 주위를 빈틈없이 두르고 점점 진영을 압축해 나가는 이들의 숫자가 만만치 않아 보였다.

"봐줄 여유는 없을 것 같군."

 머릿수로 밀어붙이려는 속셈이다. 전황을 눈에 담은 현이 미간을 찌푸렸다.
 버티려고 안간힘을 쓴 모양이었지만 이미 입구에 죽어 있는 아군 측 전력이 몇몇 보였다. 모두 현의 말에 동의하는지 두 눈에는 번들거리는 살기를 담고서 별말 없이 돌입했다. 예열이 필요한 초능력자는 잠시 멈춰 섰지만.
 아까의 격전에서는 상황이 급박하게 돌아갔던 탓에 조금 무리해서라도 물이 없는 허공에 물을 생성하는 신기를 부려야만 했지만, 지금은 충분히 준비할 시간이 있었다.
 내내 메고 있던 배낭에서 물이 가득 들어찬 페트병을 꺼냈다. 물방울들이 곳곳으로 퍼져나갔다. 당장 그 상태로는 아무런 살상력도 없는 단순한 물. 그러나 초능력이 가해지자 그것은 기적이 되어 다시 태어났다.

물방울. 작은 점. 점은 선이 된다. 무수하게 많은 선이 허공을 그었다. 공간의 장악. 순식간에 차원을 넘나드는 기적이 세상에 강림한다. 유연하게 흐르는 물이 흐릿한 궤적을 남겼다. 무언가 일어났다고 깨달은 순간에는 이미 적군의 머리가 우수수 떨어지고 있는 광경만이 눈에 선연하게 깃든다.

겉보기에는 인상이 흐릿하면서도 더없이 화려한 선공이 확실한 유효타로 화했다. 기세를 몰아 탄 아군과 조금 주춤하기 시작한 적군 사이에서 본격적인 전투가 시작됐다.

"이 버러지 같은 새끼들! 도망가지 마! 도망가지 말라고!"
"진을 유지하란 말이다!"

애초에 단합력이라는 게 그리 뛰어나지 않았는지 열세다 싶으니 냅다 줄행랑을 치는 적군의 모습도 심심치 않게 눈에 들어왔다. 그나마 집단의 머리에 해당하는 자들이 나서서 상황을 수습하려 노력하고 있었지만 역부족이었다. 머릿수를 불리려고 집단에 아무나 막 받아들인 대가나 다름없었다.

 싸하다. 연속으로 도끼를 휘둘러 젖히면서 전장을 종횡무진하면서도 현은 불길한 속마음을 감출 수 없었다. 모든 일이 귀신같이 딱딱 들어맞는다. 별 위기 없이 문제가 너무 순조롭게 해결되고 있었다. 속마음을 털어놓는다면 다들 일이 잘 풀리면 좋지 않냐고 되묻겠지만, 그게 제일 문제라는 말을 꺼낼 수는 없는 노릇이다. 아무런 증거도 없이 승리를 기뻐하는 이들에게 재를 뿌릴 수는 없다.

“상황 종료됐습니다.”
“생각보다 싱겁네요.”

어느새 해가 지고 달이 뜰 무렵. 자경단 원들은 하나같이 다 불이 타닥타닥 타오르는 모닥불 주위에 모여 상황 공유를 나누는 데 여념이 없었다.
 관심 없는 이야기의 연속에 머리 한쪽 구석에 정보 저장은 해놓으면서도 무심한 투로 불씨를 뒤적거리던 현이 고개를 돌렸다. 자세를 낮추니 작은 몸체가 바로 시야에 들어왔다.

 "왔냐."
 "응."

 말을 입 밖으로 내뱉는 것과 동시에 자연스럽게 어깨 위에 대충 걸치고 있던 외투를 바닥에 깔았다. 바로 그 위로 리나가 자연스럽게 풀썩 앉는다.
 리나가 말없이 현을 샅샅이 살폈다. 애초에 현은 전투가 잦은 역할을 맡고 있다. 너무 걱정을 달고 사는 것도 상대에게 부담이 된다. 따라서 서로 간에 안부를 주고받는 건 지금껏 자제해 왔지만, 이번 일은 좀 크게 터지지 않았던가. 자경단의 주요 전력인 현이 얼마나 몸을 아끼지 않고 던지는지를 생각해보면 리나로서는 합당한 우려였다.

"아저씨 안 다쳤어."
"……응."

그 시선을 모를 리가 없는 현이 크고 두꺼운 손을 들어 올려 리나의 작은 머리통을 덮었다. 쓰다듬는 건지 그냥 올려둔 건지 구분이 안 되는 투박한 손길이었다. 현의 말 한마디로 리나는 쓸데없는 걱정을 버리기로 했다. 의심하는 건 그리 생산성 있지 못하다. 가만히 고개를 주억거렸다.
그 순간, 혹시 몰라 정찰을 보냈던 단원이 숨 가쁘게 달려왔다. 모두의 시선이 그곳으로 향하는 건 당연했다.

"혀, 현! 허억! 그리고, 다들, 헉……! 급히…… 알릴 소식이……!"

이미 승리를 거뒀다고 확신한 적군. 그리고 그들이 식량과 노동력을 갈취하던 시민들까지 합해 수천 명. 그 모두의 감염 확인.

"굶어 죽느니 괴물이 되더라도 생을 이어간다는 건가."
"맙소사……."

 그들이 발길을 어디로 이끌지는 상상만으로도 등골이 오싹할 정도로 분명했다.
 좀비는 인간의 생명 반응이 밀집된 곳을 선호한다. 괜히 세력 다툼이 일어난 것이 아니다. 가장 가까운 거리에 있는 집단은 다름 아닌 자경단이었다.
 안도감에 취해 내심 사람들의 입가에 걸려 있던 미소가 뚝 그쳤다. 따스했던 분위기가 찬물을 뒤집어쓰고 팍 식어버리는 데까지는 그리 오랜 시간이 걸리지 않았다.

태어나기도 전에 세상이 망했다. 다들 그렇게 세상이 망했다며 한탄하곤 하지만, 리나는 잘 이해할 수 없는 이야기다. 망하기 전과 후를 비교할 수 없으니 의문이 드는 건 당연한 일이었다.

"그런 게 궁금했어? 글쎄…… 어쩌면 먹고 먹히는 먹이 사슬이 좀 더 눈에 잘 보이는 형태가 된 일에 지나지 않을지도 모르지?"

 리나가 두 눈을 깜빡거렸다. 미네가 하는 말은 항상 알쏭달쏭하다. 아직 다 자라지 못한 지능은 도저히 그 말의 뜻을 온전히 이해할 수 없었다.

"애한테 어려운 소리 하지 마."

 현이 질책하듯 눈을 뾰족하게 뜨며 미네를 쏘아본다.
 세 사람은 그런 관계였다. 관계에 명칭을

붙일 수는 없지만 그 형태는 확실하게 존재했다. 도형으로 표현하면 삼각형. 각자 꼭짓점 하나씩을 맡아 균형을 유지한다. 등, 불, 아이.

"화장실이 어두워……."
"어이, 랜턴. 빨리 안 뛰어나오고 뭐 하나."
"네에, 네에~ 갑니다, 가요. 랜턴 지금 절찬리에 혹사당하는 중! 노동청에 신고해 버린다!"

　그러니까, 화장실 한 번 갈 때도 소동을 일으키는 문제 제대로 있는 인간들이 바로 그들이었다.
　현은 가끔 미네를 랜턴 취급하며 놀리는 취미가 있다.

"노동청 죽었다."
"신도 죽었고?"
"신이 죽어?"
"헛소리 말고. 애가 듣고 배우잖아."

가장 완벽한 도형은 삼각형이구나. 동시에 가장 불완전하기도 하다. 온통 결점투성이인 인간들끼리 서로를 채우며 완전해진다. 그러니 꼭짓점 하나라도 사라지면 제대로 형태를 이룰 수 없었다.

"……이상한 소문이, 도는, 데."
"미안하다."
"아."

그 후로 많은 시간이 흐른 것 같기도 했고, 그 무엇도 변하지 않은 채로 시간이 영영 멈춘 것 같기도 했다.
확실한 건 더는 그들은 예전처럼 완벽한 삼각형을 이루지 못하게 되었다는 사실 하나뿐이었다. 삼각형은 꼭짓점 하나를 잃었다. 삼각형일 수 없게 된 도형이 형체가 바스러진 채로 바닥에 굴러떨어졌다.

---

차가운 공기. 햇빛 하나 들지 않는 허공에서, 눈송이가 살랑살랑 흔들리며 콧등 위로 내려앉았다. 아, 겨울이구나.
 리나는 인기척에도 돌아보지 않고 이미 눈이 녹아 사라진 콧등을 만지작댔다. 축축하다.

“……기다리고 있었던 거냐.”
“그냥, 이렇게 될지도 모른다고 생각했지.”

 며칠 후면 좀비떼가 생명 반응을 인지하고 자경단 거점으로 찾아올 것이다. 그렇다고 거점을 옮겨도, 옮기지 않아도 이 겨울에 급진적인 변화는 피를 몰고 오기에 충분하다. 그런 상황에 현은 홀로 총대를 메기로 작정한 것이다.
 거점을 옮길 수는 없다. 이 겨울에는 대이동 하나만으로 동사할 사람이 수두룩했다. 게다가 자원이 넉넉한 것도 아니다. 좀비를 피한다고 도망갔다가 자연재해에 휩쓸려 죽을 판이다. 여러모로 손해였다.

다 같이 쳐들어가서 좀비를 소탕하는 것도 감염자가 하나씩 나올수록 장기적으로 아군에게 불리해진다. 그들 모두가 전투에 돌입한다고 해서 당장 일이 해결될지 장담할 수 없는 데다. 전투 인원은 쉽게 구할 수 없는 고급 인력이었다. 앞으로 큰일이 닥치면 총대를 메는 것은 거의 그들이 맡아서 할 텐데, 핵심 중추가 망가지면 조직 전체에까지 그 피해가 미친다. 그러다 조직 자체가 무너지는 건 금방이다.

결국 현은 다소 극단적인 해결책을 내놓았다. 혼자 가서 최대한 씨를 말려 놓는다. 그 이후에는 이주를 결정하든, 한 판 제대로 뜨기로 하든 판단은 후임자들에게 맡긴다.

자경단의 그 누구도 동의할 수 없는 답. 그러나 자경단의 그 누구도 현을 말릴 수 없다.

"가려고?"
"그래."

기대하지 말기 잘했다. 혹시나 해서 물은 말에 조금의 망설임도 들어 있지 않은 긍정이 손쉽게 튀어나왔다.

 이래서 불나방이 싫다. 죽을 걸 알고도 화마 속으로 몸을 던지는 꼴을 보고 있자면 화가 치밀어 오른다. 세상에 숭고한 희생이라는 건 존재하지 않는다. 결국 개죽음이다. 잠깐 존경받고 금방 잊힌다. 그리고 다음 영웅을 찾는다. 영원히 반복이었다.

 리나가 입술을 꾹 깨물었다. 달리 방도가 있는지 밤을 지새우며 했던 생각을 지금 다시 한번 이어 보아도 답은 나오지 않는다.

 "돌아오지 않을 거다."

 할 수 있는 일은 없다. 거의 모든 인간은 갑작스럽게 닥쳐오는 재난에 그대로 휩쓸리기만 할 뿐, 막을 수는 없다. 밀려오는 파도를 얼릴 수 없듯이.

"다만, 내 마지막 미련은 너라서, 쓸데없는 말이 줄줄 흘러나오는군."

머리 위로 뻗어오는 손길을 막지 않았다. 저 사람의 손을 좋아했다. 그 인생이 어떠했는지를 보여주듯 흉터가 가득해 까끌까끌한 그 손이.
리나가 커다란 손에 작은 얼굴을 파묻었다.

"너무 무리하지 않아도 돼."
"……."
"살고 싶은 만큼 살다가, 질리면 내 옆으로 와라."

리나는 대답하지 않았다. 언제나 그랬듯이 침묵. 가장 잘하는 일이다.
어느 날의 두 사람이, 아이를 내려다보며 언젠가 교복을 입는 모습도 보고 싶다던 풍경이 스쳐 지나간다.

"어디 안 가고 쭉 기다리고 있을 테니

까."

 공간에 따스함이 내려앉는 착각이 들었
던 것도 잠시, 눈발이 휘날린다. 어느새
굵직한 손은 거둬진 지 오래였다. 모든 걸
다 털어낸 듯 현이 리나를 스치고 지나가
며 뒤도 돌아보지 않고 바람처럼 떠났다.
 지독한 한기는 원한을 닮았다던가. 꽁꽁
언 손 위로 입김을 불었다. 시리다. 추위
가 가시지 않는다.
 눈가에 눈송이가 맺힌다. 차가움을 가득
머금고 태어난 그것은 온기를 이기지 못
하고 결국 볼을 타며 주르륵 흘러내렸다.
소리 없는 외침이 허공에 메아리쳤다.

---

"넌 또 왜."

 저절로 말이 짧게 나간다. 대충 근처의
잔해물에 등을 기대고 서 있던 이강우가
멋쩍은 미소를 지었다.

“마지막으로 말리러 왔죠. 내가 아니면 누가 당신을 쫓아올 수나 있겠어요?”

“넌 돌아가.”

단호한 음성에 이강우가 머리를 긁적거렸다. 물론 저도 제 목숨 소중한 줄은 알아서 당연히 그럴 작정이었다.

그래도 여기 오고 제일 교류가 많았던 사람이 그깟 사명감이 뭐라고 죽을 걸 알면서 사지로 뛰어드는 꼴은 묘한 기분이 들게 했다. 평소라면 신경도 쓰지 않았을 타인에게 선심 쓰듯 몸소 이 멀리 행차할 정도.

아닌 게 아니라 괴물 같은 신체 능력을 지닌 현을 따라잡는 건 초능력자인 이강우에게도 호락호락하지 않은 일이었다.

설마 그새 정이라도 들었단 말인가. 입안에 쓴맛이 감돌아서 씁쓸한 투로 미소 지었다.

“리나를 맡기고 싶다.”

"……."

"그러니까, 너는 돌아가."

현은 그 말만 툭 던지고 다시 제 갈 길을 떠났다. 어찌나 빠른지 더 이상 따라잡을 수 없을 것 같았다. 완강한 거절 의사에 결국 이강우는 두 손 두 발 다 들었다는 듯이 허탈하게 웃으며 마지막 뒷모습이 보이지 않게 될 때까지 자리를 지켰다.

"빌어먹을, 난 그 애 이름이 리나인 것도 지금 알았다고……."

마침내 현의 모습이 흔적도 없이 사라지고, 이강우가 입술을 잘근잘근 짓씹으며 중얼거렸다.

책임감이라고는 손가락 한 마디만큼도 없다. 타인에게는 조금의 관심도 신경 쓸 여유도 없다. 희생정신과는 아주 거리가 먼 사람이 바로 그였다.

그래서 현을 따라가지 않았다. 아무리 그에게 정이 들었다고 해도 그를 살리겠다고 목숨 걸 마음은 없다. 따라서 현은 확정적으로 죽음을 맞이할 것이다. 그 생각이 되려 이강우에게 부채감을 안겼다.

현의 마지막 미련이 눈에 아롱아롱 걸린다. 작은 소녀의 모습이었다.

이강우가 인상을 와락 구기며 왔던 길을 따라 돌아가기 시작했다. 당초에 예상했던 것보다 더 이곳에 오래도록 머무르게 될지도 모르겠다는 생각을 품에 한 아름 안고서.

---

죽음의 향기. 시체 썩은 내가 사방에서 진동한다. 수천의 목숨이 이곳에서 바스러졌다.

차오르는 숨을 채 다 채우지 못하고 다음 동작을 잇는다. 도끼를 휘두르는 몸짓을 멈출 수 없었다. 멈추면 물린다. 물린다는 것은 곧 죽음을 의미했다.

좀비의 수가 전혀 줄지를 않았다. 물론 전부 없앨 수 있을 거라 믿고 이 일에 뛰어든 건 아니다. 최대한 수를 줄여서 거점까지 그 해가 닿지 않도록, 아니면 최소한 자경단의 전력으로 처리할 수준이 되도록.

온몸을 썩은 피로 적시고 깊숙이, 점점 더 깊은 곳으로 진입한다.

탁 트인 곳으로 나온 순간, 현을 향해 한 줄기 섬광이 내리꽂혔다.

"너……."

흑단같이 까맸던 모습은 찾아볼 수조차 없을 정도로 하얗게 센 머리. 핏줄이 도드라져 보이는 흰자와 탁하게 내려앉은 희뿌연 눈동자. 원래도 하얬던 피부는 비정상적일 정도로 전에 비해 훨씬 더 희게 질려 있다.

"미네."

확 트인 광장의 중심. 그곳에 미네가 있었다. 좀비가 된 미네가.

두 손에는 빛이 가득 맺혀 있다. 그것은

이지를 잃고도 다른 좀비들처럼 흥분하지 않으며 차분하게 자리를 지키고 있었다.

어째서 미네가 이곳에 있는 걸까. 의문을 느끼는 것도 잠시였고, 현은 도끼를 더 강하게 움켜잡았다.

목적을 잊어서는 안 된다. 현은 지금 이곳에 좀비를 최대한 많이 처리하러 왔다. 그게 미네라고 해서 달라질 일은 없다. 오히려 더 경계해야 할 대상이었다. 초능력자도 흔하지 않은데 좀비가 된 초능력자는 더더욱 흔하지 않다. 공격이 어떤 식으로 들어올지 알 수 없었다.

상대의 역량을 파악하듯 서로를 노려보는 두 사람. 아까부터 거세게 몰아치던 바람이 잠시 잦아드는 그 순간. 기적과 순수 인간의 힘이 맞닿았다.

피잉! 촤라라락!

사방에서 현을 노리고 빛이 쇄도했다. 도끼로 막으니 날에 이가 빠지려고 했다.

회피가 답인가. 현이 몸을 데구루루 굴려

엄폐물 뒤로 숨었다.

 쾅! 콰각! 쿠우우웅!

 빛처럼 빠르게 들어오는 공격을 눈으로 보고 피할 수는 없다. 현이 동물적인 감에 기대어 회피하고 있으니 빗나간 공격이 주변 건물을 부수고 하늘을 꿰뚫을 듯이 치솟는다.

“……랜턴 성능 죽이는군.”

 현은 이지를 상실한 미네를 응시했다. 닿아야 한다. 미네를 죽이는 건 저가 되어야 한다. 그리하여 미네가 자경단을 공격하지 않도록, 리나를 공격하지 않도록. 아무 말 없이 홀로 떠나 피해를 줄이려 한 인간의 마지막 유지를 지켜주기 위해서라도.
 살아온 시간 중에서 가장 열렬한 의지에 반응하듯 뇌가 뜨겁게 달아오른다. 속 깊은 곳에서부터 무언가 열릴 것 같은 오묘한 기분이 심장께를 간지럽혔다. 붕 떠 있는 것만 같은 감각에 손발이 오그라들었다. 현이 지금 제정신은 아니라는 건 확실해 보였다.

"그어어어!"

 적이 미네만 있는 건 아니었다. 인간의 생명 반응을 느끼고 달려드는 좀비들을 도륙 내며 날아오는 빛은 피한다. 신성한 분위기의 빛은 무자비하게 피아를 구분하지 않고 범위에 닿는 모든 것을 절단했다. 계속해서 피를 뒤집어쓰는 동안 점점 더 괴이한 기운이 정신으로 스며든다. 진화. 지금 현은 산 채로 진화를 거듭하고 있다. 깨달음과 동시에 무형의 기운이 소용돌이 친다. 갈 길을 잃고 헤매던 그것은 이윽고 기능을 잃은 오른눈으로 모였다. 뜨겁다. 뜨거웠다. 휘두르는 도끼질을 멈추지 않고 현은 이를 아득 물고 버텼다. 온몸이 불타오르는 고통을 견뎌내는 억겁의 시간이 흐르고.

"이건……!"

 오른눈을 감싸고 있던 안대가 기세를 버티지 못하고 팡, 터져 나왔다. 이내 드러난 안대 속에 감추어져 있던 현의 오른눈은 푸르게 불타오르고 있었다.

 눈을 매개로 삼아 푸른 불꽃이 불어오는 바람과 공기를 먹어 치우며 열기를 더해 간다. 주변으로 불길이 번졌다. 이제 더는 도끼로 일일이 머리를 깨부술 필요 없이 겁화가 모든 것을 먹어 치운다. 푸른 화염의 바다에 좀비들이 갈피를 못 잡고 휩쓸려 떠내려갔다.

 오랜만에 두 눈이 함께 공유하는 시야가 낯설었다. 머릿속을 파고드는 끝없는 활력에 통각이 마비되는 것 같다.

 초능력이라고 해서 가한 공격에 시전자 본인만 피해받지 않도록 조절해주는 편리한 능력 같은 건 가지고 있지 않았다. 자꾸 옷에 달라붙으려 하는 불씨를 떼어내며 현은 미네를 쳐다봤다. 불꽃을 토해낸 이후로 행동을 멈추고 있었기 때문이다.

갑작스러운 상대의 역량 상승에 잠시 멈칫한 것이다.
 희뿌연 눈동자와 잔뜩 벼려진 형형한 눈이 마주친다. 두 초인이 서로를 가늠하며 간극을 쟀다.

 콰아아앙!

 격돌.
 미네의 손에서 흘러나온 빛과 불을 휘감은 도끼가 굉음을 터뜨리며 서로를 들이받았다.

 쾅! 콰앙! 퍼버버버벅!

 모든 각도에서 약점을 노리고 쇄도하는 빛을 도끼를 휘두르며 눈으로 좇기도 어려운 속도로 한 치의 오차 없이 쳐낸다.
 불과 빛이 허공을 수놓으며 눈이 아프도록 세상을 환히 밝혔다. 수십 번의 공방으로도 승부의 결판을 지을 수 없다.
 그 사이, 불은 점차 몸집을 불려 어느새

구역 전체를 점령하고 있었다.

"등불이 되고 싶다고 했던가……,"

 산 자는 죽은 자보다 강하다. 당연한 이치가 스러지기 쉬운 세상이지만, 현은 그 결론에 다다를 수 있는 인간이었다.

"등불이 되어 한 사람의 인생을 비추고 싶다니."

 불길이 모든 걸 집어삼킨다. 타오르는 정경과 어울리지 않는 차분한 목소리가 고요한 공간에 소리를 채운다.
 여태 빛으로 쳐내며 방어하고 있었지만, 결국 다리에 불이 붙었는지 미녜가 기동력을 잃고 주저앉았다.

"그건 너에게도, 나에게도, 과분하기 짝이 없는 일이다."

 나직이 중얼거리며 현이 점점 그녀에게

로 다가간다. 끝이 다가오고 있었다. 세상을 집어삼킬 듯이 타오르는 불길에 인간도 좀비도 집도 모조리 소멸한다.

미네라는 인간은 시작부터 끝까지 의뭉스러운 사람이었다. 늘 그녀가 대체 무얼 원하는지 가늠하려 애써 왔다.

"등불이 되지 못하더라도, 잔불이 되어서라도."

너는 세상에 흔적을 남기고 싶어 했구나. 겁화가 타오르는 소리에 말소리가 묻힌다.

겨울의 추위가 느껴지지 않을 정도의 온기가 사방을 감싼다. 눈이 땅바닥에 채 닿기도 전에 녹아 허공에서 스러졌다.

재가 흩날렸다. 바람에 뒤섞인 재와 눈송이를 구분할 수 없다. 귓가로는 불씨 튀어 오르는 소리가 규칙적으로 울렸다.

초능력은 사기적으로 공격적인 힘이다. 그렇기에 편리하지 않다. 푸른 화염이 만족을 모르고 다음 먹잇감을 찾아 헤맨다. 그것이 설사 제 주인이더라도 상관이 없

는지 현의 살갗을 파고들어 흉을 남기고
도 떨어지지 않는다.

사방을 가득 메운 푸른 파도를 바라보며
현은 돌아갈 생각을 다시금 단념했다. 진
작 각오한 일이었다.

통각을 잃은 몸이 아무런 고통 없이 불
꽃으로 화한다. 온몸이 괴이하면서도 푸르
스름한 빛깔을 발하고 있었다.

가까이, 더 가까이. 숨소리까지 들릴 정
도로 가까운 거리. 자리에는 두 사람이 있
지만 한 사람의 심장박동만이 귀에 울린
다.

저주받은 공주가 왕자의 키스를 받아 풀
려나는 동화를 믿을 나이는 한참 전에 지
났다. 그럴 나이일 때에도 믿은 적조차 없
다. 하지만 그냥, 지금은 왠지 믿고 싶어
졌다.

"이걸로 작별이다."

차가운 시체 위로 불꽃이 내려앉는 순간
희뿌연 눈동자에 총기가 들어왔던 것만

같은 착각이 들었다.

 밤새 잿더미 위를 뒤덮은 눈이 모든 진실을 포옹하듯 다정하게 끌어안는다.

 마지막으로 한 사람의 마음에 잔불을 남긴 채로, 두 사람은 재가 되어 사라졌다.

지구에 무엇인가 정착할 때마다 신은 우리에게 돌을 던져왔다. 누군가는

"오 신이시여 어째서 이런 천벌을 내리시옵니까"

읊조리며 비탄 썩인 기도를 올리기도 하였다. 하지만 모두가 그렇진 않았으니, 소수에선 그와 달리 생각했다. 신께서 매번 안정될 때마다 왜 파멸을 가져올까. 억겁의 시간 동안 고민 끝에 한 가지 답을 추론하게 되었다. 어쩌면 신께서는 지금의 모습이 마음에 들지 않는 것, 즉 이상적이지 않

다고 생각하는 건 아닐까, 그렇기에 직접 고통을 선사해 그 시련에서 꽃 피운 자에게 '진화'란 선물을 증여해 완벽한 존재가 되는 과정의 도움을 주는 것은 아닐까, 적어도 난 그렇게 망각한다.

인간, 수 세기의 진화를 통해 지구를 통제할 수 있는 경지에 근접하게 되었다. 하지만 지금의 인간은 아직 완벽하지 못한 존재라 생각된다. 우리는 태어나지 않은 자에게 기대하고 살아있는 자를 혐오하며 시체를 존경한다. 여기까지 도달하며 깨달은 만큼 너무나 많은 것을 잃고 말았다. 이젠 자신을 지킬 수 있는 위협적인 발톱이나 날카로운 송곳니 등은 이미 과거 속으로 잊힌 지 오래였다. 과거 인류는 손이라는 기관을 통해 도구를 쓰며 자신 이상의 능력을 발휘할 수 있었다. 하지만 이제는 도구에 의존하며 충분히 자력으로 할 수 있는 일임에도 갓난아기처럼 손가락이나 빨아댈 뿐이다.

난 새로운 진화를 위해 같은 당의 임원이 선거운동 중 저질렀던 뇌물 비리로 자숙하기 위해 같은 당으로 써세계 봉사를 다닌다는 명목으로 전세계 지금의 인류가 다음으로 넘어갈 수 있게 해줄 시련을 찾아 나섰다. 그렇게 수많은 여정 끝에 결국 모든 일의 시발점인 운명을 만나게 되었다.

때는 동남아의 어느 마을을 지나게 되었는데 거기서 소매치기를 당하는 바람에 빈털터리가 되어버렸다. 더군다나 같이 간 일행도 일정 때문에 갈라졌었고 몇 안 남은 경호팀과도 도둑을 쫓아가다 미아가 되는 바람에 혼자 남게 되었다. 나 혼자서 온갖 위험에 노출된 상태로 어떻게 도움받을 수단도 없이 눈앞이 깜깜하기만 했다. 결국, 길바닥에 눌러앉아 쪽잠을 청하며 노숙 생활을 하게 되었다. 그렇게 영원의 시간에 갇힌 듯한 시간이 흘러만 갔다. 면도도 할 수 없어 지저분한 수염이 얼굴을 뒤덮었고, 옷도 맨바닥에 쓸리면서 찢어져 버려 나의 모습은 말 그대로 너덜너덜한 누더기가 되었다. 불과 몇 주 전만 하더라도 내가 이런 생활을 하리란 조금의 예상도 못 했다. 난 특별한 줄 알았다, 남들과는 다를 줄 알았다, 내가 떵떵거리며 살 줄 알았다. 그동안, 나에게 둘러싸인 사치 탓에 눈먼 쥐가 되어 현재의 나를 향한 무력감과 자괴감만 늘며 나의 오만함을 뉘우쳤다.

며칠이나 지났을까 나를 찾는 사람이나 있기는 할까... 부질없는 좌절을 하던 나날 그간 참던 허기짐을 견디지 못하고 허름한 슈퍼마켓에서 빵 조각 하나 겨우 훔쳐 골목으로 달아났다. 그저 말라비틀어진 식빵 쪼가리일 뿐이지만 그 한입으로서 행복을 느꼈다. 이런 작은 부스러기에서 이 정도의 쾌락을 얻을 수 있다니, 다시 먹으려던 차 옆에서 어느샌가 온몸이 만신창이인 아이가 물끄러미 날 뚫어져라. 보고만 있었다. 애써 소녀를 무시하며 나 혼자도 부족한 양을 먹어버리려 했으나 끝내 녀석에게 건네주고 말았다. 빵을 받자 마치 아사 직전의 들개처럼 물어뜯었다. 그러다 소녀는 잠시 멈칫하더니 다시 나를 한번 흘겨보고는 먹던 빵을 둘로 만들어 냈다. 내 말은 두 조각으로 나

눈 것이 아닌 말 그대로 모양, 크기, 베어 문 자국까지 똑같이 복제하여 둘로 만들었다. 난 도저히 자신의 눈을 믿을 수 없었다. 이것은 상식적으로 말이 안 되지 않는가. 내가 감당하기 힘든 스트레스로 헛것을 보거나 드디어 미쳐버렸다고 생각했다. 하지만 나의 애써 부정을 무참히 산산이 조각내듯 소녀가 다시 내게 건네준 빵은 만지고 또 먹는 것이 가능한 실체 있는 진짜였다. 뒤통수를 둔기로 얻어맞은 듯 내가 넋이 나간 사이 그 아이는 일어나 어디론가 가기 시작했다. 겨우 정신을 차리자마자 뒤쫓아 가보았지만, 소녀는 이미 사라진 뒤였다.

그 뒤 난 온종일 소녀를 찾아 사방을 돌아다녔다. 드디어 신의 계시를 찾은 것만 같았다. 그렇게 이틀이나 쉬

지 않고 온 마을 뒤지다 다행히 떨어
졌던 경호팀과 만나 도움을 받고 조
국으로 갈 수 있게 되었다. 뉴스와
신문에서는 실종됐었던 지방 시장이
몇 주 만에 발견되었다고 대서특필되
었지만, 난 그딴 게 중요한 일이 아
니었다. 최대한 빠르게 다시 그곳으
로 돌아가야만 했다. 소녀를 찾아야
만 했다. 나의 육감이 그러길 절실히
원하고 있다, 그렇게 여론을 최대한
빠르게 안정시키고 다시 마을에 방문
해 소녀를 수소문하여 익명의 제보를
통해 겨우 만날 기회가 생기게 되었
다. 다음날이면 걔를 다시 볼 수 있
어 가슴이 벅차올라 왔다. 시간 날
때 틈틈이 현지어를 익히며 그 아이
와 대화해 보고 싶었다.

아침에 본 소녀는 전과 달리 차갑게
식어있었다. 땅에 박힌 통나무에 거

꾸로 묶여 목에는 마녀라는 글자가 적힌 팻말이 말뚝과 함께 박혀있었다. 나중에 현지인을 잡아 조사 시켜본 결과 전부터 그 인간이 능력을 쓰는 걸 나뿐만 이 아닌 다른 사람도 알고 있었던 모양이다. 그래서 마을 사람들은 그녀를 마녀로 낙인찍고 나름대로 자신들만의 군중심리에 휩쓸린 정의를 실천했다. 아... 드디어 인류의 희망을 찾은 줄 알았다. 진화에 도약할 발판을 찾은 줄 알았다.

"그래서 포기할 건가?"

내 앞에 박힌 시신을 바라보며 수없이 나 자신에게 물었다. 여기서 물러설 내가 아니다. 이건 시험이다. 이것은 나에게 내려진 시련과 다름없다. 난 그렇게 받아들이기로 했다.

송장을 수습하고 조국으로 가져가 머리카락 한 올 한 올 세포 하나, 하나를 다 세밀하게 분석하였지만, 예상과는 달리 일반 인간과 별반 다르지 않았다. "하... 하 하하 이거 재밌네..." 그럼, 이 결과의 뜻은 이 표본이 다른 종족 같은 개념이 아닌 그저 평범한 인간이란 소리이다. 그렇담 일반 인간도 저렇게 변화시킬 약간의 가능성이라도 있을 것이다. 그 뒤로 난 새로운 연구소 비오톱을 비밀리에 설립해 노숙자들을 위한 무료 복지센터 거주자라는 모집이라는 유혹으로 손쉽게 실험체들을 모아 각종 연구를 시도해 보았다. 그리고 나 또한 더욱더 세력을 확장하기 위해 거의 모든 자본을 선거 유세에 쏟아부으며 나의 입지를 늘리고 상대 당들에 뻐꾸기들을 심어나 그 안에서 사건이나 비리가 적발될 시 협박하거나 즉시 공격하며 나의 당의 크기와 힘을 늘렸다.

그렇게 근 몇 년간 급속도로 성장할 수 있었다. 이런 식의 과도기 성장은 당연히 위험수당도 크다. 하나 가끔은 걸음마를 떼기 전에 뛰어야 하는 법이다. 그렇게 국회의원 자리까지 올라올 수 있었다. 하지만 연구는 아직 눈에 띄는 진전이 없이 실패작들만 늘어갔다.

그러던 와중 놀라운 소식을 전달받았다.
실험 중 비협조적이거나 공격적인 성향이 있는 실험체들은 필요에 따라 독방에 가두었는데 그곳에 소용된 실험체 하나를 감독관이 깜박 잊게 되면서 장시간 방치가 되었다 한다. 그러다 연구소 청소부 하나가 청소 중 독방에서 난 인기척 탓에 상부에 알리면서 독방을 확인하게 되었는데 갇혀있던 실험체 상태가 이상 아니, 특이하다는 소식이었다.

감독관의 무능함에 미간을 찌푸리며 연구소 관리팀장들을 소집하고 연구소로 향하였다. 거기서 연구원들과 함께 독방으로 가보았다. 1평 남짓한 공간, 구석에 무언가 잔뜩 웅크리고 있는 실루엣이 보였다. 옆의 연구원의 말에 따르면 처음 발견했을 때부터 저 자세로 물도, 음식도, 거부하며 가만히 움츠려만 있었다고 한다. 실험체의 턱을 붙잡고 억지로 고개를 돌려 나와 마주 보게 했다. 그의 얼굴을 보자 난 꼬리뼈 부분부터 뒤통수까지 천천히 그리고 확실하게 감싸는 서늘함과 이질감이 느껴졌다. 본능에 따라 어서 문을 닫으라고 소리쳤다. 그러자 밖에 있던 연구원들이 얼을 타고만 있으니 결국 내가 직접 안에서 문들 닫아 버렸다. 문이 닫히자 완벽한 밀실이 되어 전등도 없는 안이 암흑 그 자체였다. 그때 앞에 천천히 두 빛이 나타났다. 빛은 처음엔 저것이 내 눈이 어둠에 적응하려고 해서 생기는 비문증인가 싶을 정도로 희미했으나 점점 뚜렷해지며 눈동자가 되었다. 실험체의 눈이 마치 심해어와 같이 초 감도로 진화하였다. 그 순간 손끝과 발끝이 요동치듯 떨려오며 숨이 벅차오르는 미소를 짓지 않을 레아 없었다. 그렇게 방에서 나오자, 연구원들이 당황한 채로 어쩔 줄 몰라 하는 모습이 필요 없어 보여 그냥 나중에 새로운 실험체로 실험실에 보냈다.

이번에 드디어 처음으로 인위적인 진화를 해낸 실험체-B127 별칭 아귀는 추후 여러 실험으로 어둠 속에서 주변을 볼 수 있는 능력, 오랜 시간 영양소나 수분 섭취 없이 살아남는 지구력 외에도 뛰어나진 않지만 약간의 투시 능력도 있다는 걸 밝혀냈다. 드디어 연구의 성과가 얼추 나오기 시작했다. 하지만 다시 한번 다른 실험체를 아귀처럼 독방에 장시간 가두어 봤지만 미쳐버리거나 죽어 나갈 뿐이었다. 아마 진화, 즉 이능에 발현에는 극한의 결핍된 환경만이 필요한 것이 아닌, 개체의 내재한 재능도 큰 영향을 주는 것 같다. 이번엔 잠재력에 초점을 맞춰보기로 하였다.

동남아에서 처음으로 진화라는 것을 알려준 소녀, 실험체-MBE1.
과거 분석 후 몇 년 동안이나 동결 보존 중이던 MBE1을 해동하여 다시 한번 실험해 보기 시작했다. 전과는 달리 단순 세부 분석에서 끝나지 않고 시신에서 DNA를 추출하여 세포배양 기술로 살아있는 피부를 만들어 약물 실험을 시도해 보거나 신체 스펙이 좋은 실험체를 해부하다가 MBE1에게 이식하여 되살려 보는 시도도 하였다. 아귀의 이능 발현이 신호탄이 된 것, 마냥 샐리의 법칙처럼 실험하는 족족 확실하진 않지만, 전과는 달리 반응이 일어났다. 정치계에서도 별 사고 없이 무탈하게 거의 지배 세력이 되었다. 곧 있으면 대통령 선거도 다가오고 있으니 더욱더 신중히 노력하여야 한다. 계획대로 되어간다는 것은 분명 기쁜 일이다. 하지만 이걸로 만족할 수 없다.

인간의 뇌는 한 감정에 몰두하여 무방비 상태가 되는 것을 방지하기 위한 뇌의 보상체계로 대비되는 감정

즉 불안함을 느끼게 된다. 그 덕분에 방심하지 않고 위협에 대비할 수 있다. 상대측 당 중 하나인 선화당에서 어떻게 알았는지 우리 연구소 정체를 선거 연설 중 폭로해버렸다. 그러자 신문, 뉴스, 인터넷 등이 아수라장이 되며 나에게 수많은 기자가 둘러싸며 여러 질문이 쏟아지기 시작했다.

"노숙자를 비오톱이라는 곳에 데려가 인체실험을 한다는데 사실인가요?",

"비윤리적인 실험이 일어난다는데 거기에 대해 한 말씀 부탁드립니다!",

"지금 사태에 대해 어떻게 생각하시나요?"

기자들은 사무실은 물론 자택 포함 내가 가는 곳은 어디든 진드기처럼 들러붙었다. 이대로는 당연히 연구소는 문을 걸어 잠그고 우리 당의 인지도도 최하를 찍었다. 사태를 해결하기에는 역시 발원지를 제거해야 한다. 언론에는 선화당의 말은 어디까지나 정치적인 견제를 위한 거짓 선동이라 밝히고 이미 과거 선화당에 심어놓은 뻐꾸기를 통해 우리 쪽에 선화당 쥐새끼가 있다는 것을 알아내고 당사자를 잡아다 실험체로 보내버렸다. 그리고 연구실에 대한 정보에 중간중간 틀린 점을 넣어놔 선화당 말에 신뢰성을 떨어뜨렸다. 그리고 연구실 압수수색이 왔을 땐 이런 일이 일어날 줄 알고 사전 준비를 과하다 할 절도로 철저히 대비해놓았기 때문에 오히려 내 당이 법의 테두리 밖에서 힘든 사람들을 무료로 건강검진해 주고 치료 또한 해주었단 식의 이미지를 만들었다. 그러자 선화당은 주장하는 내용 또한 앞뒤가 맞지 않는 점이 많아지게 되어 믿는 사람도 없어졌고 나의 당의 지지자들을 늘어가 전세가 역전되었다. 어쩌면 전보다 지지자층이 더욱 견고해졌다 볼 수 있을 정도였다. 선화당은 거짓 선동으로 논란만 커졌다.

추후 난 따로 선화당 대표 가빈과 1 대 1로 만났다. 단둘이 밀실에서 무릎까지 오는 탁상을 사이에 둔 채 먼저 말문을 열었다.

"도대체 무슨 생각으로 그런 일은 하셨나요? 어차피 이렇게 될 거 뻔히 알았잖아요."

"당신 말대로 충분히 예상하였죠. 하지만 그래도 두고만 볼 수 없지 않나요? 사실 당신이 하는 짓과 무엇을 위해 그러는지 잘 알고 있어요. 자칭 '인간의 진화' 아닌가요?"

상대의 말에 잠깐 흠칫했지만, 천천히 되새겨보며 침착함을 잃지 않도록 주의했다

"정말이지 대단하시네요. 어디까지 아실는지."

"자칭 '인간의 진화' 맞죠? 연구실도 그쪽이 진화라 칭하는 걸 이끌어내기 위해 만드신 거고."

생각보다 많은 걸 알고 있는 점에 흥미가 생기기 시작했다.

"하하 정말 저희에 대해서 잘 아시는 것 같네요. 이번만큼은 졌습니다. 하지만 이젠 정치 생활도 끝물이 되신

거 같던데 이참에 같이 협업하시는 건 어떠신가요?"

나의 갑작스러운 태도의 변화와 제안으로 겉보기에는 농담 보듯 웃어넘기는 모습으로 보일 수 있으나 일순간이지만 놀란 기색이 역력했다.

"후 저 같은 사람에게 그런 너무 퍼주는 제안을 하셔도 될지 모르겠네요."

무심한 척하는 대답에 유혹하듯 말하였다.

"그야 당연히 저희는 대표님 같은 분을 필요로 합니다."

"아첨은 저리 집어치우시죠. 애초에 전 그쪽이랑 함께할 생각 같은 건 추

호도 없었거든요."

"어찌 저희 당을 그렇게도 거부하시는 거죠?"

"생각을 해보시겠어요? 상식적으로 노숙자를 납치, 감금, 인체실험에다 그 목적이 초능력자 발굴? 말이 안 되잖아요. 당신은 자신이 신의 전달자 뭐 그런 건 줄 아시나 본데 아니 당신 내들은 정신 문제 있는 거예요."

역시나 이 사람도 나랑 같이 갈 수 없는 존재이다. 난 소파에서 일어나 천천히 벽을 따라 크게 돌며 걸었다.

"정말 평화적인 걸 좋아하시는 것 같으시네요."

"당연히 좋아하죠. 정상적인 사람이

라면 평화를 좋아하지 않나요?"

탕!

그 말을 듣자 난 그녀의 뒤통수에 총구를 가져다 대곤 방아쇠를 당겼다. 그러자 가빈은 마치 발에 밟힌 지렁이처럼 축 늘어지며 탁자 위로 널브러졌다. 왜 평화를 추구한다는 인간들은 변화는 싫어할까. 말로만 언제나 평화를 외치지만, 정작 실천으론 옮기지 않는다. 이게 말이 안 되는 것이다. 후에 뉴스에서는 선화당 대표가 급격한 지지율 하락으로 낙심하여 자택에서 스스로 목숨을 끊었다는 기사가 나올 뿐이었다.

어쨌거나 이제 방해물도 사라졌겠다. 그리고 새로운 긍정적인 이미지도 생겼겠다. 이제 시작인 대통령 선거는 사실 이미 결정 난 것이나 다름없다. 역시 예상대로 별 특이점 없이 대통령으로 취임할 수 있었다. 비록 실험체-B127 별칭 아귀가 실험 도중 목을 매어버렸지만, 실험체- MBE1의 실험에 성과가 나오기 시작하였으니 크게 상관은 없다. 지난주 MBE1에게 이식을 통하여 융합한 육체에 만성 소모성균과 충동하초를 혼합하여 만든 약물 임상시험이 있었다. 처음엔 여타 다른 실험들과 같이 무반응인 줄 알았으나 약물을 투여한 지 13시간이 지나자 MBE1이 손가락과 발가락의 움직임이 포착되었다. 그때부터 4시간 경과. 서서히 눈을 뜨기 시작하고 빛을 인지하였다. 의식이 확인된 것이다. 나도 대통령에 취임한 지얼마 안 되어 바쁘지만 어떻게든 시간은 내어 연구소로 가보았다. 내가 도착했을 때는 MBE1은 스스로 거동이 가능한 상태까진 진전된 상태였다. 하지만 과거와는 달랐다. 이 말의 뜻은 되살아난 존재가 죽기 전과는 다른 사람 즉 아예 다른 자아가 생긴 것으로 보였다. 전보다 공격성이 눈에 띄게 늘었고 지능은 단순한 사고를 할 수 있는 3~4살과 비슷한 정도이다. 눈의 각막을 검사했을 때 시력이 현저히 떨어졌지만, 후각은 개와 대등할 정도로 발달해있었다. 핏속 헤모글로빈에 특히 후각 반응이 일어나는 게 실험을 통해 밝혀졌다. 일단 인위적 진화체의 프로토타입으로써 샘플을 추출해 놓았다.

여기서 가장 중요한 실험이 남았는데 바로 능력이 아직 사용할 수 있는가였다. 먼저 호전적인 성향 때문에, 속박해놓은 상태로 오른손에 검은 장미를 쥐여준 채 소량의 전기를 흘려보냈지만, 결과는 실패였다. 생각보다 능력을 끌어내는 데 오랜 애를 먹었다. 결국, MBE1의 두개골을 절개하여 뇌간과 중뇌에 직접 적으로 트리거를 심어놓으며 전기 자극을 통해 물체를 복제하도록 조종할 수 있게 개조하였다. 수술 후 다시 실험을 진행하였다. 이번엔 뇌에 직속으로 자극을 주는 만큼 장미를 복제해내는 것에 성공하였다. 모든 연구원 일동과 나는 환호성을 질렀다. 하지만 자세히 보니 복제된 장미는 검은 장미가 아닌 황색 장미인 돌연변이었다. MBE1의 육체를 재구성하며 체질까지 바뀌는 바람에 능력에 또한 영향이 간 것으로 보였다. 그렇지만 이 결과도 긍정적으로 보기에는 충분했다. 다음 실험은 살아있는 생물을 복제하는 것이었다. 연구소에 있던 아무 실험체나 데려와 MBE1의 손에 묶어 놓고 트리거에 전기 신호를 보내자 실험체가 숨이 끊어진 상태로 복제되었다. 여기서 연구는 다시 멈추고 말았다. 어떻게 해야 살아있는 생물을 숨이 붙어있는 상태로 복제할 수 있을지, 논의가 끝나지 않았다.

그러던 중 평소 존재감 없던 연구원 하나가 터무니없는 생각이 뇌리에 스쳤다며 한가지 의견은 내놓았는데

"만약 MBE1이 살아있는 자를 죽은 자로 복제한다면 이미 죽은 자를 복제한다면…"

이 단순하고도 멍청하고도 볼 수 있는 생각을 바로 행동으로 옮겼다. 게다가 어차피 죽은 생물을 복제할 것인데 이왕이면 이능을 가진 존재를 복제하는 게 낮지 않겠냐는 합의에

실험체-B127 아귀의 시신을 가져와 실험을 시도하였다. 아귀의 시신을 MBE1의 손에 기대어 두고 전기 신호를 보내자 모두의 예상과는 달리 복제되지 않았다. 하지만 MBE1의 배가 갑자기 불러오더니 찢어져 버리며 복제된 아귀가 넘쳐 흘러나왔다. 급히 MBE1을 수술실로 운반해 응급처치로 목숨은 가까스로 붙여놓을 수 있었다. 복제된 아귀는 뱃속에서 나온 직후 약간의 경련을 일으키다 온몸이 까매지며 사라졌다.

모두 예상치 못한 일에 무모하기만 했던 이번 실험을 후회하는 사람이 많았다. 하지만 이런 무모한 도박이야말로 유한한 가능성을 가졌다 보인다. 내가 이런 생각을 하게 된 이유는 화제의 실험 이후 나 혼자서 생각을 정리할 겸 연구실 단지들을 돌아보던 중 외진 곳에 있어, 사람이 잘 오지 않는 복도를 거닐다가 사라졌었던 복제된 검은 아귀와 대면하게 되었다. 검은 아귀는 기존 아귀와 달리 투시 같은 계열의 능력이 아닌 몸을 투명하게 만드는 능력으로 변이된 것으로 보였다. 감상하던 찰나 검은 아귀 또한 실험체-MBE1의 성향에 이어진 듯 굉장히 공격적으로 나를 덮치려 했다. 난 옆에 창문으로 뛰어내려 다리에 금이 가버렸지만, 겨우 피할 수는 있었다. 소란으로 경비원들이 달려오며 검은 아귀는 다시 사라졌다.

그 후 MBE1이 어느 정도 회복하자 다시 실험을 진행했다. 이번엔 복제된 아귀를 생포하기 위한 인원들을 추가로 배치한 뒤 실험을 재개하였다. 전과 같이 아귀의 시신을 손에 기대놓은 채 트리거를 발동시키자 이번에도 MBE1의 배가 부풀어왔다. 결국, 배가 또다시 터지며 새로운 아귀가 흘러나왔는데 이번에는 키가 2M 이상은 더 커 보이는 덩치를 가지고 있었다. 복제되자마자 특수 케이스에 넣어 격리하였다. 후에 관찰을 통해 거구의 아귀는 보이는 대로 폭발적인 근력을 가진 것으로 보고되었다. 이로써 MBE1은 이미 사망한 이능을 발현한 사람을 복제한다면 새로운 변이된 이능을 가진 실험체-ROTB7 즉 복제체 개체, 별칭 네피림으로 탄생한다는 점과 MBE1이 새로운 네피림을 만드는 모습으로 MBE1의 별칭을 마더로 정의하였다.

그렇게 마더와 아귀뿐만이 아닌 네피림 개체 중 하나를 사살하여 그 시신으로 실험을 수차례 해보았다. 그러나 네피림들은 후각 발달과 새로운 이능 말고는 네피림 특유의 호전성이 더욱 짙어져 통제 불능인 상태였다. 마더 또한 반복된 실험으로 변형이 오기 시작했다. 이 방법 역시 진화의 방법이 아니었던 것이다. 이렇게 까지나 시도했는데 이것도 아니라니... 나는 낙심했다. 그러다 연구소에서 네피림들이 격리 시설에서 탈출하는 사태가 벌어졌다. 하지만 그보다 더욱 큰 문제가 있었으니 네피림들의 난동 중 과거 마더가 약물 실험으로 처음 생명 활동을 시작했을 때 채집해놓은 샘플이 담긴 보관 케이스가 파괴되며 마치 바이러스처럼 퍼지게 되었다. 그것에 감염된 사람들은 초기 마더와 같이 약간의 시력 퇴화와 후각과 공격성이 발달해 다른 비감염자를 공격하며 마치 좀비처럼 바이러스를 퍼트려갔다. 결국, 연구소를 장

시간 격리를 해두었다가 뒤처리를 위해 청소팀을 보냈는데 글쎄 전에 바이러스에 감염되었던 사람들이 일반 사람처럼 돌아와 있었다. 생각 외로 이런 현상이 일어나면서 연구소 탈환은 네피림들 처리하는 것을 제외하곤 손쉽게 되었다.

나중에 감염자들을 검사해 봤을 때 감염 초기에는 좀비처럼 이성을 잃고 보이는 비감염자를 공격하였지만, 장시간 헤모글로빈 섭취를 하지 않게 된다면 이성을 되찾는 것으로 보였다. 하지만 감염 전과 다른 자아가 새로 재정립되며 마치 다른 사람처럼 자아가 변하는 모양이었다. 그러다 헤모글로빈 즉 피를 섭취하거나 자극을 받게 되면 다시 이성을 잃은 상태로 돌아간다.

그러나 이런 일보다 나에겐 더욱 중요한 화제가 있었는데 그건 초기 감염자와 네피림들의 습격에서 살아남던 연구소 생존자 중, 5명 이상의 이능 발현자가 있다는 거다. 과거 실험체-b127 아귀가 등장하며 세운 이론에서 이능을 발현할 수 있는 조건인 극한의 환경과 개체의 내재한 잠재력 말고도 이번 사태를 통해 이능은 이능끼리 끌어당기는 마치 인력과도 같이 네피림들의 이능으로 인한 내재한 잠재력 자극, 감염자와 바이러스의 위협이 합쳐지며 극한의 생존 환경이 조성되어 이능의 잠재력을 한껏 발휘하게 해준다는 것을 알게 되었다. 드디어 진화를 유도할 방법을 찾은 것이다.

여기까지 오는 데 얼마나 걸렸나. 시간이 양분될 것이다. 나는 준비 되어 있어야 한다. 모든 것들의 결실을 보게 될 것이다. 결전의 날은 이번 연도 마지막 날이자 새해의 첫날 12월 31일 11시 59분 인중 부근에 피 주머니를 달아놓은 감염자 총 13마리를 각각 중요 도시로 트럭에 싣고 가 방생을 할 예정이다.

"정말로 할 거야?"

물음에 뒤돌아보니 과거 동남아에서 만났던 모습 그대로의 마더 아니, 소녀가 서 있었다.

"이번으로 인류는 진화할 기회를 얻게 될 거야."

"만약 잘못된다면?"

"그럼 노아의 방주처럼 되는 거지."

나의 대답을 들은 소녀는 오묘한 표정을 지으며 사라졌다.

그렇게 결전의 날에 다다르고 감염자를 태운 트럭이 전국 각지로 퍼져나갔다.

전 세계 모두가 외치는 카운트에 맞춰 12시 정각이 되자 감염자들을 방생하였다.

생각보단 1월 1일 새해 첫날 이후로 잠잠하던 것으로 보였으나 역시 3일이 안 되어 초토화되기 시작했다. 이미 사전에 송신탑 등을 끊어나 뉴스와 인터넷은 차단했고 출국 또한, 막아놓아 그 누구도 빠져나갈 수 없게 하였다. 나라가 이런 공황 상태에 빠지게 되면 당연히 정부에서의 통제력은 의미 없어질 것이기에 오히려 이점을 이용하여 마치 정부가 힘을 잃은 것처럼 만들어 환경을 규칙이나

법 따윈 없는 무법지대로 만들어 더욱 극한의 결핍을 유도한다. 그리고 정부가 통제권이 죽었다는 것을 보여주기 위해 수도, 전기 또한 끊어 버린 상태로 방치하여 보았다.


그 후 이능을 발현한 사람이 있는지 찾는 CCTV 역할을 대체할 스토커란 조직하여 파견해 현 상황을 점검해 보았다. 스토커를 보낸 지 1달이 지나자 출발했던 인원의 반 정도밖에 돌아오지 못하였는데 돌아오지 못한 인원들은 크게 감염되어 버렸거나, 비감염자 집단한테 약탈당하였거나, 탈영한 사례로 3가지 요인으로 보인다. 나머지 돌아온 스토커들의 말에 따르면 아직 이능을 발현한 인간은 발견하지 못하였지만, 감염자 중 이성을 되찾은 자들끼리 모여 유사 종교집단이 만들어진 것 같다는 정보였다. 1차 조사를 이렇게 끝내고 현재 이능 발현자가 발견되지 않아서 2차 계획을 실행하기로 하였다. 바로 네피림들을 파견하여 이능의 잠재력을 끌어내는 것이다. 이전에 찍어둔 곳인 도시 근처이지만 건물 하나만 있는 외진 건물에 마더와 네피림 두 마리를 풀어놓았다. 역시나 마더는 네피림들과 접촉하여 복제해나가기 시작하며 점차 군집의 형태를 이루었다. 추후 스토커를 통해 마더가 여러 차례 네피림들의 수많은 이능을 접촉하며 2차 변형을 이루어 외형뿐만이 아닌 복제 가능한 네피림의 수나 지능까지 향상해 복제체들에게 지시할 정도까지 갔다는 것에 신선하였다.

그러던 중년 말쯤 관측된 무리 중 가장 큰 비감염자 군락에서 통제권을 맞던 경찰들과 일반인 사이에서 불화가 생겼었단 소식도 들려왔다.

그렇게 몇 달이 지나자 예측한 대로 이능을 발현한 자가 스토커를 통해 발견되었다. 대상은 물을 마음대로 조종하는 것으로 보인다고 하였다. 새로 발견된 이능 발현자를 관찰 중이던 스토커와 과거 들었던 적 있는 이성을 되찾은 감염자 무리와의 접촉이 생기게 되었는데 그 집단은 한 명을 아베르란 지배자로 둔 체 자신들만의 언어를 만들고 있던 게 포착되었다. 새로운 고유의 세계를 창조해내는 중인 상태이다. 새로운 종족으로 자신들을 칭해 가치를 새로 정의한다.

그 뒤 뜻밖 이능 발현자가 마더를 사살하는 일이 생겼다. 나중에 알아보니 네피림 중 하나가 이능 발현자의 가족을 공격하여 그에 대한 보복으로 한 듯했다. 그 바람에 더는 복제될 수 없는 데다 그 이능 발현자가 계속하여 네피림 사냥을 지속하였기 때문에 네피림들의 수가 확연히 줄어버렸지만 그래도 다행히 이미 어느 정도 영향은 미친 듯 새로운 이능 능력자가 발견되었다. 하지만 이번은 이능을 발현한 상태로 바이러스에 감염된 특수한 경우였는데 감염돼서도 역시 이능을 마음대로 사용 가능하다는 게 밝혀졌다.

이렇게 벌써 발견된 이능을 발현한 사람 일명 진화체가 둘이나 나왔으니, 우리가 찾지 못한 진화체가 충분히 있을 수 있기에 이능 발현자를 찾는 일을 더욱 본격적으로 진행하여 비감염자들을 모아와 바이러스의 백신을 만든다는 거짓으로 이능을 발현한 인물이 있는지 확인 검사와 실험을 진행하였다. 그중 다른 사람보다 실험에서 좋은 성적이 나오는 두 명이 나왔는데 분류 번호 986과 분류 번호 521번이었다. 각각 남녀였는데 최종 테스트를 받기 전 이런 사태에도 잘만 살아있던 부자들은 돈으로 연구원들을 매수하여 빼돌렸다. 그들은 지금 실험하고 있던 것이 진짜로 백신 개발 중이라 믿은 거였다. 더군다나 그 둘을 유사 종교 감염자 무리에게 탈환 당했기까지 했다. 실험 결과 이능 발현자로 짐작되었던 둘을 잃은 부자들과 돈 먹은 연구원들을 잡아다 새로운 마더 생산 실험에 사용하였다. 프로젝트 하나를 말아먹고 심신이 불편했는데 마침 새로운 소식이 들려왔다. 전에 발견되었던 감염된 진화체가 불을 다루는 새로운 진화체와 싸우다 결국, 양쪽 둘 다 연소하였다 한다.

이젠 진화체들 끼리 서로 싸울 정도로 이능끼리의 인력이 강해지며 이능을 발현한 자와 그걸 해내는 시간 간격이 줄어든다. 점점 진화체가 늘어만 가는 것이다. 천천히 지만 인류의 진화가 이루어지고 있다. 분명 내가 저지른 짓은 결코 영웅이라 칭할 수 없는 죄악들이다. 하지만 이로써 인류를 완벽으로 한 발짝 내딛게 만들 수 있다면 그 무엇보다도 만족한다. 창문 너머를 바라보면 무너진 건물들과 시체들만 보이지만 단단한 땅을 위해선 비가 내려야 되는 것처럼 이 또한 미래를 위한 현재의 희생이다. 나의 인생을 이 떡잎을 보기 위해 무슨 짓이든 저질렀다. 비록 나는 되지 못하였지만 나를 바쳐 진화를 전달해

내고 말았다. 이대로 인간은 진화를 이룬 사람들만 살아남아 더욱 강인해 지겠지. 이것이 완벽함에 도달하지 못하여도 오늘보단 내일로 나아갈 수 있을 것이다.

**내가 모두를 구원하였다.**

-작가의 말
**안녕하세yo. 저는 아직 청춘의 길을 걷는 중입니다. 제가 쓴 글 중에 제일 애정하는 글입니다. 재미있게 읽어주시고 조언할 점이 있다면 언제든지 남겨주세요!**

안녕하세요. 우선 이 글을 읽어 주신 분들께 감사의 인사를 전합니다.
 이 소설은 글쓰기 방과후에서 5명의 친구와 함께 급조한 설정에서 출발하게 되었습니다. 릴레이로 글을 쓰는 게 어떠냐는 의견이 나온 와중에 친구들과 재미로 칠판에 좀비 아포칼립스 생존물의 클리셰를 끄적이고 있으니, '오, 이걸로 하면 되겠다!' 싶었고, 그렇게 글은 얼렁뚱땅 시작되었답니다.

 저는 네 번째 주자로 자경단 파트를 맡아 글을 썼습니다. 한 명당 일주일의 시간을 들여 최소 10쪽의 분량을 완성해오기로 합의한 상태였습니다. 매우 당연하게도 저는 마감을 지키지 못했습니다. 그 벌칙으로 같이 지각한 다른 친구와 함께 표지를 그리게 되었죠……. 제가 겉표지를 그리고 다른 친구가 속표지를 그리게 되었어요. 후기를 쓰고 있는 지금 겨우 러프를 짜는 중입니다. 미래의 자신에게 이 일을 떠넘기며 지금의 저는 일단 이불 속으로 좀 들어가야겠습니다.

 출판된 시점에는 좀 더 늘어나겠지만 한글로 글을 쓰고 있는 현재, 페이지는 무려 후기를 제외했을 때 43쪽에 약 44,800자를 적으니 정말 죽을 맛이었습니다. 하지만 누구를 탓할 수도 없습니다. 스스로 불러온 재앙인 것을 어쩌겠어요. 써도 써도 글이 끝나지 않고 오히려 더 쓸 게 늘어나는 아주 등골이 오싹한 나날이었습니다.

이제 캐릭터 이야기를 해보겠습니다. 거의 주인공이라 보아도 무방한 현은 글을 시작하기도 전부터 죽여야겠다고 굳게 다짐한 인물입니다. 아니 그런데 이 녀석이 써도 써도 죽을 기미가 보이지 않는 겁니다. 정말 무서웠습니다. 30쪽이 넘었는데도 멀쩡히 살아있을 때의 심정은 말로 다 표현할 수 없을 지경입니다. 지금 이 부분을 읽고 있는 여러분은 원래 한 명당 맡은 최소 분량이 10쪽이었다는 사실을 기억하셔야 합니다.

등장인물들을 보면 살짝 어색하게 느껴지는 부분이 있을지도 모릅니다. 현, 미네, 리나는 성이 나오지 않습니다. 그런데 이강우는 딱 이강우라고 나오죠. 비현실적인 분위기 조성, 그리고 그냥 제 취향 문제로 인해 제가 생각한 인물에게는 성이 없습니다. 성이 아예 없다는 설정이 아니라 그 캐릭터들의 성 자체가 설정되어 있지 않아요. 하지만 이강우는 이강우인 이유는 바로 제가 친구의 캐릭터를 뺏어왔기 때문입니다. 이 자리에 빌어 그 친구에게 감사 인사를 전합니다. 이야 고맙다 친구야. 너의 이강우 내가 닳을 때까지 꾹꾹 쥐어짜서 액기스까지 다 빨아 먹었다.

글을 다 쓰고 보니 친구한테 뺏어 온 캐릭터를 제외하면 전부 나사가 하나씩 빠져 있더라고요. 뭔가 다 사이코패스 같고 그래서 걱정입니다. 제 취향을 들킨 것만 같은 기분이 들어요. 하찮은 변명을 해보자면 애초에 세계관 자체가 너무 어두워서 제대로 되먹은 캐릭터가 나올 수 없었던 것뿐입니다. 믿어주십쇼.

쓰다 보니 글이 길어지기도 하고 급전개가 되기도 하는 등 여러 문제가 있었습니다. 뿌려둔 떡밥은 최대한 회수해보려고 수정에 수정을 거듭했는데 잘 이해되셨을지 모르겠습니다. 제가 생각하기에도 난해한 부분이 여럿 있다는 것을 인정합니다. 의도적으로 뚫어둔 구멍도 있어서 해석은 여러분의 자유라고 말할 수 있을 것 같습니다.

 그리고 글을 읽다 보면 제 습관이 확 눈에 보이더라고요. 선호하는 단어나 문장 구조가 따로 있기라도 한 건지 반복되는 부분이 계속 나와서 이 부분도 수정 열심히 했습니다. 대체 몇 번을 다시 읽어보는 건지 모르겠는데 읽을 때마다 수정할 부분이 생기고 페이지는 또 차곡차곡 늘어나고 있답니다. 후기를 작성하는 지금이 부디 최종이길 바라요……. 사실 후기 쓰고도 수정 한 번 더 했어요.

 글이란 건 참 어려운 것 같아요. 부족한 글이지만 다들 즐거운 독서 되셨길 바랍니다. 이상으로 제 후기 글을 마칩니다.

안녕하세요. 릴레이 소설 '(제목)'을 쓴 조아라입니다. 제 파트를 쓸 때 삭막한 상황에서도 희망을 놓지 않는 부분이 있었으면 좋겠다라고 생각했습니다. 누군가를 믿는다는 건, 아마도 그 사람이 당신의 안에 들어와 있거나 발을 걸치고 있는 거겠지요, 믿는다는 건 참으로 아름다운 것 같습니다. 하지만 꼭 믿어야 할 사람이 있습니다. 바로 자신입니다. 자신을 믿고 삭막하고 어두운 곳을 헤쳐 나가셨으면 좋겠습니다. 여러 명이 다 함께 쓰는 릴레이 소설은 두 번째라 많이 떨리고 부족하지만, 저희 (제목)을 많이 사랑해주시고 관심 부탁드리겠습니다.

-당신의 어두운 곳이 환하게 밝히길 바라며

안녕하세요! 저는 이 릴레이 소설의 마지막 장인 '진화'를 집필한 학생이자, 쓸데없는 망상에 빠져 사는 누군가예요. 글을 쓰는 건, 마치 내 감정과 생각을 다른 이에게 전하는 수다의 한 모습이라고 생각해요. 평소 친한 친구와의 이야기, 어쩔 땐 그냥 오늘의 일과 중 머릿속에서 일어난 일에 관해서도 이야기를 나누는 거죠. 이번에 저는 평소 생각해보던 과연 완벽한 인간이 진정 존재할까? 에서 출발했어요. 여러 경험에서 배운 지식과 저의 시선을 토대로, 여러분과 소소한 아이디어 이야기부터 바라는 이상과 목표까지 함께 나누고 싶어졌어요. 글을 통해 어떤 감정이든 표현하면서, 동시에 여러분과 소통하며 새로운 이야기를 만들고 싶어졌어요. 혹시 이 책을 읽고 어떤 이야기든 함께 공유하고 싶은 거 있으면 말해주세요! 함께 즐겁게 상상해봐요.